Max Lüthi

Das europäische Volksmärchen

Form und Wesen

Siebente, durchgesehene Auflage

Francke Verlag München

UTB Uni-Taschenbücher 312

Eine Arbeitsgemeinschaft der Verlage

Birkhäuser Verlag Basel und Stuttgart
Wilhelm Fink Verlag München
Gustav Fischer Verlag Stuttgart
Francke Verlag München
Harper & Row New York
Paul Haupt Verlag Bern und Stuttgart
Dr. Alfred Hüthig Verlag Heidelberg
Leske Verlag + Budrich GmbH Opladen
J. C. B. Mohr (Paul Siebeck) Tübingen
C. F. Müller Juristischer Verlag – R. v. Decker's Verlag Heidelberg
Quelle & Meyer Heidelberg
Ernst Reinhardt Verlag München und Basel
K. G. Saur München · New York · London · Paris
F. K. Schattauer Verlag Stuttgart · New York
Ferdinand Schöningh Verlag Paderborn · München · Wien · Zürich
Eugen Ulmer Verlag Stuttgart
Vandenhoeck & Ruprecht in Göttingen und Zürich

ISBN 3-7720-1703-7

7., durchgesehene Auflage 1981

Einbandgestaltung: A. Krugmann, Stuttgart

INHALT

VORBEMERKUNG

Dieses Buch erschien erstmals 1947. Als es 1960 als Dalp-Taschenbuch herauskam, wurde es um das Kapitel «Märchenforschung» erweitert. In der 3. Auflage (1968) kam ein Sachregister hinzu, in der vierten (1974, erstmals als Uni-Taschenbuch) eine Darstellung von Vladimir Propps strukturalistischer Märchenforschung. Seither ist das Buch praktisch unverändert geblieben. Es ist innerhalb meiner Publikationen das grundlegende Werk, als Stilanalyse eine Art Gegenstück zu Propps Strukturanalyse. Ergänzt wird es durch die beiden im Francke-Verlag veröffentlichten Aufsatzbände *Volksmärchen und Volkssage, zwei Grundformen erzählender Dichtung* (1961, 3. Auflage 1975) und *Volksliteratur und Hochliteratur – Menschenbild, Thematik, Formstreben* (1970) sowie durch das 1975 im Diederichs-Verlag erschienene Buch *Das Volksmärchen als Dichtung – Ästhetik und Anthropologie*. Das letztgenannte Werk befaßt sich mit wichtigen Einzelaspekten, u.a. mit der Rolle des Schönen im Märchen, mit künstlerischer Ökonomie und künstlerischer Verschwendung, mit der das Märchen durchspielenden Ironie und Konträrironie, mit bedeutsamen Themen, Motiven und Zügen. Andere Aspekte sind in den Aufsatzbänden gewürdigt (der erste enthält u.a. einen Vergleich von Märchen und Sage, eine Untersuchung zum Rapunzelmärchen, einen Blick auf die Rolle des Märchens im Werk Shakespeares, der zweite beschäftigt sich u.a. mit dem Zusammenspiel von Bindung und Freiheit im Märchen, mit der Bedeutung von Familie und Natur, der Rolle von Gebrechlichen und Behinderten, mit dem Streben nach bestimmten Erzählzielen, nach «Zielformen»).

Die vorliegende siebente Auflage unterscheidet sich nur unwesentlich von der vierten bis sechsten. *Das Europäische Volksmärchen*, 1969 ins Japanische, 1979 ins Italienische, 1981 ins Englische übersetzt, ist eine in sich geschlossene Darstellung, die nicht verändert werden soll. Wer weitere bibliographische sowie forschungsgeschichtliche und sachliche Angaben sucht, findet sie in meinem Metzler-Bändchen *Märchen* (zuerst 1962, 7. Auflage 1979), das von Auflage zu Auflage Erweiterungen und Ergänzungen enthält. Im wesentlichen unverändert bleiben hingegen die beiden Vandenhoeck-Bändchen *Es war einmal* (1962, 5. Auflage 1977) und *So leben sie noch heute* (1969, 2. Auflage 1976); sie sind populärer gehalten und bringen vor allem Einzelinterpretationen bestimmter Märchen und Märchentypen.

Zürich, im Sommer 1981 Max Lüthi

EINLEITUNG

Dem europäischen Volksmärchen wohnt eine eigenartige Wirkungskraft inne. Es übt seine Macht nicht nur an den Kindern jeder neuen Generation. Auch der Erwachsene erfährt wieder und wieder seinen Zauber. Seit Charles Perrault 1696/97 das Volksmärchen literaturfähig machte, hat der Reiz dieser neuen Form Dichter, Leser und Forscher nicht mehr losgelassen. Die französische galante und moralisierende Dichtung bemächtigte sich ihrer sogleich und begann auf ihre Weise Märchen zu schreiben. Das deutsche Rokoko nützt eifrig die empfangene Anregung: Musäus gibt seine «Volksmärchen» heraus, Wieland schreibt Märchen-Epen. Später, in der Klassik, komponiert Goethe mit spürbarer Freude traumhafte Märchendichtungen. Für die Romantik vollends wird das Märchen zum «Kanon der Poesie». «Alles Poetische muß märchenhaft sein», sagt Novalis[1]. «Im Märchen glaube ich am besten meine Gemütsstimmung ausdrücken zu können. Alles ist ein Märchen.»

Der tiefen Liebe der Romantik zum Märchen verdanken wir die Sammlung der Brüder Grimm. Sie erscheint in den Jahren 1812 und 1815. Seither hat eine immer weiter ausgreifende Sammeltätigkeit die Volksmärchen Europas und der Welt in unübersehbarer Anzahl ans Licht gefördert. Eindringliche, von vielen Wissenschaftlern getragene Forschertätigkeit untersucht ihren Aufbau, ihre Geschichte, die Art ihrer Verbreitung. Die Frage nach ihrem Ursprung wird immer neu gestellt. Zentrale Probleme sind noch ungelöst, Hypothesen stehen gegen Hypothesen. Die Grimmschen Märchen aber sind heute in aller Händen, während die ebenfalls von den Grimms herausgegebene Sagensammlung in der Öffentlichkeit wenig bekannt ist.

Das Märchen ist, ähnlich wie das Volkslied, volksläufig und namenlos. Aber die Volksliederforschung, so viele Fragen in ihr auch offen stehen, sieht das Werden und Wesen der von ihr betrachteten Gebilde weit klarer als die Märchenforschung. Diese ist sich nicht einmal darüber einig, ob die heute lebendigen Märchen in ihrem Grundstock viele Jahrtausende alt sind oder nur wenige Jahrhunderte. Dazu kommt, daß auch der Inhalt des Märchens geheimnisvoller anmutet als der des Volksliedes. Man hat den «eigentlichen Gehalt» des Märchens geradezu in seinen «Jenseitsmotiven» sehen wollen[2]. C. W. von Sydow bezeichnet das indogermanische Märchen als «Schimäremärchen»[3]. Mackensen, Peuckert, Löwis of Menar und andere sprechen vom «Zaubermärchen» als der «vollsten und reinsten Form des Volksmärchens[4]». Es ist das «Märchen im eigentlichsten Sinne[5]». «Das Besondere am Märcheninhalt ist seine Verwobenheit mit dem Wunderbaren[6].» Und doch kann die seltsame Magie, die das Märchen ausstrahlt, nicht vom Jenseitsmotiv herrühren. Von Wundern, Zaubereien und jenseitigen Wesen erzählen auch Sage und Legende. Sie bemühen sich sogar viel ausschließlicher um diese Dinge als das Märchen. Das Wunder ist die Mitte der Legende; ihr ganzer Wille ist darauf gerichtet, Wunder darzutun; der Terminus miraculum ist untrennbar mit ihr verbunden. In der Sage ist das «Ganz Andere» der bevorzugte Gegenstand. «Die Sage ist gerichtet auf das Verhältnis des Menschen zu einem Überwirklichen[7].» «Sie will auf den dämonischen Untergrund des Lebens hinweisen, vor unbekannten Feinden und Mächten warnen und auf alle Weise den Hörer auf die «andere» Welt einstellen[8].» Und doch wirken Legende und Sage als solche nicht halb so geheimnisvoll wie das Märchen. Bei beiden ist die Absicht, das Wunderbare und Ganz Andere darzustellen, so deutlich erkennbar, daß sie als Gebilde für uns entzaubert sind. Das Märchen aber bleibt uns rätselhaft, weil es wie absichtslos das Wunderbare mit dem Natürlichen, das Nahe mit dem Fernen, Begreifliches mit Unbegreiflichem mischt, so, als ob dies völlig selbstverständlich wäre. Die Legende will bekehren oder im Glauben festigen. Die Sage macht auf Bedeutendes oder Merkwürdiges aufmerksam; sie will erschüttern oder belehren. Was aber will das Märchen? Nur unterhalten, wie man allzu lange gemeint hat? Selbst dann noch wäre zu fragen, wieso denn gerade diese Art Erzählung den Menschen zu unterhalten vermag.

Das Geheimnis des Märchens ruht nicht in den Motiven, die es verwendet, sondern in der Art, wie es sie verwendet. Das heißt in seiner Gestalt. Die Gestalt der Sage, der Legende steht in engem Zusammenhang mit dem Berichteten. Ein Ereignis, ein Erlebnis, eine wirkliche oder geglaubte Tatsache wird Sprache. Der Gegenstand bestimmt die Stimmung des Erzählenden, und beide, Gegenstand und Stimmung, bestimmen die Form der Erzählung. André Jolles hat daher Sage und Legende mit Recht als «einfache Formen» bezeichnet[9]. Beim Märchen liegen die Dinge anders. Seine Form erwächst nicht aus dem Stoff, sie lebt aus sich selber. Daß Jolles auch das Märchen unter die «einfachen Formen» eingereiht hat, ist sogleich auf entschiedenen Widerspruch gestoßen[10]. Das Märchen erscheint neben den einfachen Formen der Sage und Legende als Kunstform. Seine Gestalt fordert eine genaue Untersuchung, eine eindringliche Betrachtung geradezu heraus. Wir dürfen von ihr die Klärung wesentlicher Fragen erwarten.

Es soll versucht werden, die Wesenszüge des europäischen Volksmärchens zu zeichnen. Dabei wird nicht eine vergleichende Charakteristik der einzelnen völkischen Ausprägungen angestrebt, sondern im Gegenteil die Grundform gesucht, die ihnen allen gemeinsam ist. Nicht die individuellen Unterschiede, wie sie von Erzähler zu Erzähler und von Volk zu Volk beobachtet werden können, interessieren uns hier; wir suchen das, was das Märchen zum Märchen macht. Der Typus kommt in der Wirklichkeit nie rein vor. Er kann aber durch Vergleich vieler Individuen gefunden werden. Das Gemeinsame wird festgehalten, das Zufällige, von Individuum zu Individuum Wechselnde, wird ausgeschieden.

Der Untersuchung sind im wesentlichen deutsche, französische, italienische, rätoromanische, irische, skandinavische, finnische, russische, lettische, estnische, ungarische, bulgarische, albanische, jugoslawische und neugriechische Märchen zugrunde gelegt. Ganz außerhalb der Betrachtung bleiben die außereuropäischen Formen. Die Erzählungen orientalischer und sogenannt primitiver Völker, die unter dem Namen Märchen laufen, sind Gebilde sehr verschiedener Art und erfordern eigene Untersuchungen.

EINDIMENSIONALITÄT

In der Legende wie in der Sage steht neben der diesseitigen Welt, geistig streng von ihr geschieden, eine jenseitige. Äußerlich ist diese jenseitige Welt nicht fern; sie kann jederzeit in den Alltag herüberwirken, und ihre Vertreter wohnen oft mitten unter den Menschen. Aber sie wird ganz anders erlebt als alles Diesseitig-Profane. Die Berührung mit ihr erweckt im Menschen einen eigentümlichen Schauer; sie zieht ihn an und stößt ihn zurück, sie erregt seine Angst und seine Sehnsucht. Wie fremd sie ihm auch ist, er spürt zwischen sich und ihr eine Beziehung von zwingender Notwendigkeit. *Sie* ist wesentlich, die fremde Dimension, und ihr Anspruch ist wichtiger und unerbittlicher als jeder profane.

Der Legende liegt alles daran, Dasein und Wirkung einer solchen transzendenten Welt zu offenbaren und ihre Forderungen zu verkünden. Aber auch die Sage, dumpfer als die Legende und weniger absichtsvoll, blickt gebannt nach der anderen Welt hin. Sie erzählt von der erregenden und verwirrenden Begegnung des Menschen mit Jenseitigen aller Art: mit Toten und Unterirdischen, mit Wald- und Wasserwesen, Felddämonen, Hauskobolden, mit Berggeistern, Riesen und Zwergen. In einzelnen kleinen Berichten tastet sie sich an das Fremdartige heran, und jeder einzelne Zug, den sie zu erspähen glaubt, ist ihr wichtig. Angst, Übermut oder Neugier packt den Menschen, der auf die Spur eines Jenseitswesens trifft. Mit Grausen hört er das Tosen des wilden Heeres, sieht er den nächtlichen Geisterzug. Die Sinne schwinden ihm, wenn er sich plötzlich emporgehoben und nach einem fremden Lande getragen fühlt. In den verzerrten Gestalten vieler Jenseitigen, in den feurigen Augen und den umgedrehten Köpfen und Füßen der Nachtgespenster, Zwerge und Elfen, im Buckel des Kobolds, in der abnormen Größe der Zwerge und Riesen spiegelt sich der Schrecken dessen, der ihnen begegnet ist; ebenso in den Verletzungen, Verkrüppelungen und Krankheiten, die der Mensch selber von solchen Begegnungen davonzutragen glaubt. Noch im Übermut der Dorfburschen, die den Nickelmann foppen oder das wilde Mannli überlisten wollen, noch in der harmlosen Neugier der Bürgersfrauen, die den Heinzelmännchen Asche, Mehl oder Erbsen streuen, ist die Gefühlsspannung spürbar, die den Menschen im Angesichte des Ganz Anderen ergreift. Und selbst da, wo die Sage als «historische Sage» nur bedeutende Menschen oder Vorgänge schildert, tut sie es um des Unerhörten willen, das sich in ihnen verwirklicht; der im Guten oder Bösen überragende Mensch ist ihr seltsam und im Grunde unfaßbar; nur deshalb befaßt sie sich immer wieder mit ihm. So ist das Numinose, das Überwirkliche, das letztlich auch im großen Menschen spürbar wird – die Sage führt seine Fähigkeiten gerne auf einen Bund mit dem Teufel oder mit anderen Jenseitigen zurück – der bevorzugte Gegenstand der Sage.

Auch das Märchen kennt viele Gestalten, die als Jenseitige zu bezeichnen sind: Hexen, Feen, weise Frauen, dankbare Tote, Trolle, Riesen, Zwerge, böse und gute Zauberer, Drachen, Fabeltiere. Scheinbar gewöhnliche Tiere, Ameisen, Vögel, Fische, Bären, Füchse, beginnen plötzlich zu sprechen und lassen übernatürliche Fähigkeiten spielen. Gestirne und Winde reden und handeln. Unbekannte alte Männer und Frauen spenden dem Helden zauberische Gaben oder vermögen ihm aus unerklärten Gründen gerade den Ratschlag zu erteilen, den er in seiner besonderen Lage nötig hat. Aber die Menschen des Märchens, Helden wie Unhelden, verkehren mit diesen Jenseitigen, als ob sie ihresgleichen wären. Ruhig und unerschüttert nehmen sie ihre Gaben in Empfang oder schieben sie beiseite, lassen sich von ihnen helfen oder kämpfen mit ihnen, und dann gehen sie ihren Weg weiter. Ihnen fehlt das Erlebnis des Abstandes zwischen sich und jenen andern Wesen. Sie sind ihnen wichtig als Helfer und Schädiger, aber nicht interessant als Erscheinung. Wer in der Sage die weiße Frau auf der Wiese sitzen sieht, wer davon hört, wie ein pflügender Bauer von den Unterirdischen nieabnehmendes Brot geschenkt bekommen hat, der grübelt diesen seltsamen Dingen nach; das Geheimnisvolle an ihnen beschäftigt ihn stärker als ihre praktischen Auswirkungen. Der Märchenheld aber sieht und erfährt weit Phantastischeres ohne jede innere Bewegung. Nicht als Staunender, sondern als Handelnder tritt er dem Drachen mit zwölf Köpfen gegenüber, der in der Not zu einem Hasen und schließlich zu einer Taube wird. Er überwältigt ihn; denn ihm hat einst ein Löwe ein Haar geschenkt: «Wenn du einmal in Not kommst, so bieg das Haar krumm, dann bist du ein Löwe und hast dreimal mehr Kraft als ich», und ein Adler eine Feder: «Wenn du einmal in Not kommst, so bieg die Feder krumm, dann wirst du ein Adler und fliegst dreimal so schnell wie ich.» «Der Jäger bedankte sich und ging weiter», hieß es damals einfach[11]; keine Verwunderung und kein Zweifel regt sich im Beschenkten; er probiert die Wunderdinge nicht aus, sondern verwendet sie erst, wenn er sie nötig hat, und das ist in den meisten Märchen für jedes Wunderding nur ein einzigesmal der Fall; nachher wird es nicht mehr gebraucht und nicht mehr erwähnt – es interessiert nicht mehr. Wenn ein Märchenheld zum Glasberg wandert, so tut er das nicht, weil er diesen Wunderberg kennen lernen möchte, sondern weil es dort eine Prinzessin zu erlösen gilt. Nicht Neugier oder Erkenntnisdurst führen ihn in die Hölle, zum Vogel Greif, ins Weltend-Königreich, ins Land des Lebenswassers und der goldenen Äpfel, sondern der Auftrag eines schlimmen Königs, der Wunsch, dem kranken Vater Heilung zu bringen, die Laune einer Prinzessin oder der Entschluß, die verlorene Gemahlin zurückzugewinnen. Der Märchenheld *handelt* und hat weder Zeit noch Anlage, sich über Seltsames zu verwundern.

Im Märchen gibt es weder numinose Angst noch numinose Neugier. Wenn *Neugierde* vorkommt, so ist sie durchaus profan: Sie richtet sich auf Vorgänge, nicht auf Wesenheiten. Aus einer Hütte im Walde tönt ein gewaltiges Klopfen und Schlagen – da nimmt es den Märchenhelden natürlich «sehr wunder», was in ihr vorgeht[12]; denn dies kann ihn in ein Abenteuer, in eine Handlung einbeziehen. Wenn er aber im unterirdischen Reich ein geheimnisvolles Schächtelchen erbeutet, so läßt er es ungeöffnet, bis er in eine schwierige Lage gerät; erst jetzt guckt er hinein, um zu erfahren, was es enthält; nicht weil es ihn interessiert, sondern weil er Hilfe von ihm erwartet[13]. Entsprechend ist auch die *Angst* der Märchenfiguren eine profane Angst. Sie fürchten sich vor Gefahren, nicht vor dem Unheimlichen. Hexen, Drachen, Riesen flößen ihnen nicht mehr Furcht ein als menschliche Bösewichte und Räuber; sie scheuen sie als Peiniger oder Mörder, nicht als Jenseitswesen. Jedes numinose Grauen fehlt. Wenn in der Sage ein Tier plötzlich zu sprechen beginnt, so packt den Menschen das Entsetzen[14]. Im Märchen zeigt der Held, der sprechenden Tieren, Winden oder Gestirnen begegnet, weder Verwunderung noch Angst. Dies nicht, weil ihm das sprechende Tier oder Gestirn von Haus aus vertraut wäre; es gehört durchaus nicht zu der ihm gewohnten Umwelt, nichts deutet an, daß er von der Existenz solcher sprechenden Tiere auch nur gehört hat[15]. Aber er verwundert sich nicht, und er fürchtet sich nicht: das Gefühl für das Absonderliche fehlt ihm. Ihm scheint alles zur selben Dimension zu gehören. Es beruhigt ihn sogar, wenn ein wildes Tier zu reden anfängt[16]; denn vor dem wilden Tier empfindet er Furcht: es könnte ihn zerreißen; das redende ist ihm nicht unheimlich.

In der Sage sind die Jenseitigen dem Menschen äußerlich nahe. Sie wohnen in seinem Hause, in seinem Acker, im nahen Wald oder Fluß, Berg oder See. Oft arbeiten sie für ihn, und er gibt ihnen Speise. Aber geistig bilden diese Hauskobolde, Nickelmänner, Fänggen, Alpgeister und wilden Leute eine Welt für sich; der Mensch erlebt sie als das Ganz Andere. Im Märchen ist es genau umgekehrt. Die Jenseitigen leben nicht mit den Diesseitigen. Selten trifft der Held sie in seinem Hause oder in seinem Dorf; er begegnet ihnen, wenn er in die Ferne wandert. Da treten sie ihm entgegen, die kleinen Graumännchen, die alten Männer und Frauen, die Bettler, Einsiedler, die sprechenden und zaubernden Tiere und Gestirne, die Teufel, Drachen, Trolle und ihre freundlich hilfreichen Gattinnen oder Töchter. Der Märchenheld empfängt gelassen ihre Ratschläge, erfährt ihre Hilfe oder ihre Schädigung; er ist dabei nicht erregter, als wenn er es mit Diesseitigen zu tun hat. Die Andersartigkeit der Jenseitswesen kümmert ihn nicht; nur ihr Handeln ist ihm wichtig. Er weiß nicht, woher sie kommen und wohin sie wieder verschwinden, er weiß nicht, wer ihnen ihr Wissen und ihre Zauberkräfte verliehen hat, und er fragt auch nicht danach. Wenn er es mit Verwunschenen zu tun hat, ist für den Märchenhelden nur wesentlich, daß es Verwünschte sind und daß es sie zu erlösen gilt; wer sie verwünscht hat und warum, ist nebensächlich und wird oft gar nicht berichtet; die Frage, kraft welcher Gesetze eine solche Verwünschung überhaupt möglich ist, wird nicht gestellt. Das Wunderbare ist dem Märchen nicht fragwürdiger als das Alltägliche. In der Sage sind die Jenseitigen dem Menschen äußerlich nah und geistig fern. Im Märchen sind sie ihm örtlich fern, aber geistig-erlebnismäßig nah. Die örtliche Ferne ist dem Märchen offenbar das einzige legitime Mittel, das geistig Andere auszudrücken. Im unbekannten Wald tritt dem Märchenhelden der Jenseitige entgegen, nicht im heimischen wie in der Sage. Der Bauer der Sage findet im eigenen Dorfe die armen Seelen, die der Erlösung harren; der Held des Märchens muß bis ans Ende der Welt wandern, um die verwunschene Prinzessin zu erreichen. Aber dieses Weltende ist wirklich nur geographisch fern, nicht geistig. Jedes Jenseitsreich läßt sich erwandern oder erfliegen. «Da hast du noch weit zu laufen», sagt ein Wolf zum Helden, nachdem dieser drei Tage gewandert, und nach weiteren drei Tagen ein Bär: «Da hast du noch einen weiten Weg.» Aber nach abermals drei Tagen kann der Löwe zu ihm sprechen: «Da hast du's gar nicht mehr weit, eine gute Stunde von hier sitzt die Prinzessin in dem Jägerhaus[17].» Auch der Meeresgrund, die Wolken und andere Jenseitsreiche, die im Flug, durch Besteigen eines Baumes oder auf zauberhafte Weise zu erreichen sind, sind für den Märchenhelden nur äußerlich, nicht aber geistig weit entfernt. Die Sage braucht die beiden Welten, die sie scharf als zwei verschiedene geistige Dimensionen darstellt, örtlich nicht zu trennen. Das Märchen aber, das den geistigen Abstand erlebnismäßig nicht spürbar werden läßt, neigt dazu, Diesseits und Jenseits wenigstens örtlich auseinanderzurücken. Es projiziert geistig Differenziertes auf eine einzige Linie und deutet die innere Ferne durch äußere Entfernung an.

Ohne Bedenken heiratet der Märchenheld irgendeine Jenseitige, eine Fee, eine Schwanenjungfrau, die zauberkundige Tochter einer Hexe. Er spürt nichts in ihnen, das ihn beunruhigen könnte. Im Tierprinzen fürchtet oder verabscheut die Braut nicht den Dämon, sondern das Tier; sie atmet erleichtert auf, sobald sie entdeckt, daß sie nicht ein Tier, sondern einen Jenseitigen geheiratet hat. Wenn die Jenseits-Gattin durch einen Formfehler, meist die Verletzung eines Verbotes, einer Bedingung, verscherzt wird, so ist sie wiederum nur entrückt, in die Ferne gerückt; der Versuch, sie zurückzuholen, gelingt jedesmal: der Held braucht nur die Strecke zu durchwandern, die ihn von ihr trennt, um sie alsbald für immer zurückzugewinnen. In der Sage sind die Ehen mit Fängginnen, Druden, Nixen in sich selber spannungsvoll und enden meistens unglücklich; immer werden sie als etwas Außerordentliches dargestellt. Ehen mit erlösten Geistern kommen in der Sage gar nicht vor. Im Märchen aber ist es selbstverständlich, daß der Held die Verwunschene, die er erlöst hat, heiratet. Er sieht darin nichts Besonderes.

Dieses Fehlen des numinosen Empfindens im Märchen ist umso bemerkenswerter, als auch das Märchen Diesseitige und Jenseitige an sich unterscheidet. Zauberkräfte und Jenseitszüge kommen durchaus nicht allen seinen Figuren zu. Zwar kommt es vor, daß die Eltern oder der Lehrmeister des Helden zaubern können (eine Begründung dafür gibt das Märchen, zufolge seines unten S. 37–62 geschilderten isolierenden Stils, gewöhnlich nicht). Und die bösen Stief- und Schwiegermütter treiben oft hexenhafte Künste. Aber in der Regel gehören der Held, seine Geschwister, meist auch seine Eltern und die menschlichen Nebenfiguren deutlich der diesseitigen Sphäre an. Das Märchen ist keine wilde Zaubergeschichte, in der jedem alles möglich ist[18]. Der menschliche Held erwirbt sich übermenschliche Kräfte meist nur im Kontakt mit ausgesprochen jenseitigen Figuren. Und der Unheld, der ältere Bruder etwa, gelangt überhaupt nie in den Besitz zauberischer Fähigkeiten. Diesseitige und jenseitige Gestalten werden also auch im Märchen unterschieden. Aber sie stehen nebeneinander und verkehren unbefangen miteinander. Der Märchendiesseitige hat nicht das Gefühl, im Jenseitigen einer andern Dimension zu begegnen. In diesem Sinne spreche ich von der *Eindimensionalität* des Märchens.

FLÄCHENHAFTIGKEIT

Dem Märchen fehlt nicht nur das Gefühl für die Kluft zwischen profaner und numinoser Welt. Es ist überhaupt und in jedem Sinne ohne Tiefengliederung. Seine Gestalten sind Figuren ohne Körperlichkeit, ohne Innenwelt, ohne Umwelt; ihnen fehlt die Beziehung zur Vorwelt und zur Nachwelt, zur Zeit überhaupt.

Diese Flächenhaftigkeit des Märchens wird wiederum durch den Vergleich mit den Verhältnissen der Sage besonders deutlich.

Die Sage schildert in realistischer Weise wirkliche Menschen und Dinge mit mannigfaltig gestuften Beziehungen zur diesseitigen und jenseitigen Welt. Die körperliche Ausdehnung der *Gegenstände*, von denen sie spricht, wird vom Hörer unmittelbar wahrgenommen. Es sind Gebrauchsstücke des täglichen Lebens: Kessel, Pfannen, Krüge, Becher, Pflugeisen, feingearbeitete Schuhe, Kleidungsstücke, Garnknäuel, Kuhglocken, Kegelkugeln, Brote – Dinge von ausgesprochener Räumlichkeit. Das Märchen aber zeigt uns vor allem Stäbe, Ringe, Schlüssel, Schwerter, Flinten, Tierhaare, Federn – flächenhafte, der Tendenz nach sogar lineare Figuren. In der Sage wird die Plastik der Dinge noch fühlbarer durch ihre Neigung, sich auszudehnen und abzunehmen: das Garnknäuel, das Brot, die Erbsen, welche der Mensch von einem Unterirdischen empfängt, werden angebraucht, schmelzen zusammen und wachsen dann im geheimen wieder nach. Die linien- oder flächenförmigen Dinge des Märchens aber bleiben metallisch starr und unverändert; wenn sie sich einmal doch in ganz andere Dinge verwandeln, auf der magischen Flucht etwa, so sagt diese plötzliche und mechanistische Veränderung, anders als das langsame Nachwachsen der Sagendinge, unserem räumlichen Empfinden gar nichts.

Auch in einem übertragenen Sinne besitzen die Gegenstände der Sage mehr Plastik als die des Märchens. Sie werden uns in lebendigem, immer wiederholtem Gebrauche gezeigt, sie stehen mitten in der plastischen Welt des Alltags drin, und die Atmosphäre ihrer Umwelt haftet an ihnen. Die Dinge des Märchens aber passen meist nur für eine ganz spezielle, abenteuerliche Handlungssituation und werden nur ein einzigesmal gebraucht: das goldene Spinnrad zur Rückgewinnung des verlorenen Gemahls, das Sternenkleid zum Tanz mit dem Prinzen, Stab, Ring, Feder oder Haar zur Zitierung des jenseitigen Helfers. Sie tragen nicht die Spuren lebendigen täglichen Gebrauchs, sie sind nicht in den Lebensraum ihres Besitzers eingebettet, sondern bleiben in sich selber isoliert[19].

In ähnlicher Weise fehlt auch den *Menschen und Tieren* des Märchens die *körperliche und seelische Tiefe*. Die Sage bringt uns den Körper ihrer Menschen vor allem dadurch zum Erlebnis, daß sie uns drastisch seine krankhaften Veränderungen vorführt. Wir sehen, wie die Finger, das Bein, die Backe, die Brüste dessen, der von einem Jenseitigen berührt oder geschlagen worden ist, gräßlich aufschwellen. Rote Flecken, ekelhafte Schwären, Kröten erscheinen auf den Wangen. Eine tiefe Wunde bleibt zurück oder steife, lahme, verkrüppelte Glieder. Pest, Viehseuchen entstellen und zersetzen den Körper, jahrelanges Fieber führt ihn der Auflösung entgegen. Im Märchen nichts Derartiges. Wohl kennt es viele kranke Prinzessinnen, aber es nennt die Art des Übels nicht; es sagt uns nichts von einer Wirkung der Krankheit auf den Körper und rückt uns diesen also auch nicht vor Augen; wenn wir ihn uns trotzdem vorstellen, so sehen wir ihn unwillkürlich unversehrt, nicht angefressen von Krankheit, aufgerissen durch Verwundung, entstellt durch Schwellungen; das heißt, wir sehen nicht seine Tiefe und Räumlichkeit, sondern nur seine Oberfläche. Aber auch eigentliche Verstümmelungen, die im Märchen vorkommen, lassen den Leib des Betroffenen nicht wirklich körperhaft vor uns erstehen. Wenn der Heldin die Hände oder die Unterarme abgehackt werden, wenn sie sich selber einen Finger abschneidet oder wenn einem Rößlein von Wölfen ein Bein weggerissen wird, so sehen wir kein Blut fließen und keine eigentliche Wunde entstehen. Die Veränderung wirkt entweder rein ornamental: die symmetrisch verkürzten Arme sind als Figur nicht weniger vollkommen als unverkürzte. Oder sie zeitigt überhaupt keine Wirkung: das dreibeinige Pferdchen hinkt nicht und läuft ebenso schnell wie das vierbeinige. Der lettische Märchenheld Kurbads, der «sich mit dem Schwert seine eigene linke Wade abschneiden und mit ihr den Vogel (Greif) füttern» muß, tut dies nicht nur mit ruhiger Selbstverständlichkeit und anscheinend ohne Blut- und Kraftverlust, sondern er geht schon im nächsten Augenblick wieder herum, ohne daß sich das Fehlen der Wade irgendwie bemerkbar macht[20]. Es ist, wie wenn die Märchengestalten Papierfiguren wären, bei denen man beliebig irgend etwas wegschneiden kann, ohne daß eine wesentliche Veränderung vor sich geht. In der Regel äußert sich bei solchen Verstümmelungen weder körperlicher noch seelischer Schmerz; nur wenn dies für die weitere Handlung wichtig ist, werden Tränen vergossen[21]. Sonst schneiden sich die Märchenfiguren ihre Glieder ab, ohne mit der Wimper zu zucken. Im Grimmschen Märchen von den sieben Raben heißt es von dem Schwesterchen, das zum Glasberg kommt: «Was sollte es nun anfangen? Seine Brüder wollte es erretten, und hatte keinen

Schlüssel zum Glasberg. Das gute Schwesterchen nahm ein Messer, schnitt sich ein kleines Fingerchen ab, steckte es in das Tor und schloß glücklich auf. Als es eingegangen war, kam ihm ein Zwerglein entgegen[22]» – und so weiter, ohne die geringste Andeutung einer körperlichen oder seelischen Qual. Und ähnlich in einem anderen deutschen Märchen: «In dieser Not wollte der Junge den Ring schnell vom Finger streifen, allein das ging nicht mehr; da nahm er schnell sein Messer und schnitt den Ring samt dem Finger ab und warf ihn in einen großen See, der in der Nähe war. Dann lief er weithin um das Wasser herum und rief: «Hier bin ich! hier bin ich![23].» Von den gepeinigten Bösewichtern, die in glühenden Schuhen tanzen müssen oder im Nagelfaß den Berg hinuntergejagt werden, vernehmen wir keinen Schmerzenslaut.

Selten nennt das Märchen Gefühle und Eigenschaften um ihrer selbst willen oder um Atmosphäre zu schaffen. Es erwähnt sie dann, wenn sie die Handlung beeinflussen. Und auch da nennt es sie nicht gerne bei Namen. Es spricht nicht von dem Mitleid, der Arglosigkeit, dem Edelmut seines Helden, sondern es zeigt ihn, wie er einen mißhandelten Toten loskauft, wie er seinen Brüdern vertraut, statt sich vor ihnen zu hüten, wie er ihnen hilft, statt sie zu bestrafen. Eigenschaften und Gefühle sprechen sich in Handlungen aus[24] – das heißt aber: sie werden auf dieselbe Fläche projiziert, wo sich auch alles andere abspielt. Die Gefühlswelt als solche fehlt der Märchenfigur, und damit geht ihr seelisch jede Tiefe ab. Natürlich flechten einzelne Märchenerzähler trotzdem ein Wort über Leid oder Freude ihres Helden ein. Aber wir fühlen deutlich: dies ist zufälliges Rankenwerk und gehört nicht wesenhaft zur Form Märchen. Braut und Bräutigam, die sich nach manchen abenteuerlichen Wirrnissen finden, schließen schlicht und ohne Gefühlsausbruch ihren Bund, und auch in den vielen Erlösten steigt kein Glücksrausch auf. Wendungen wie: «Fast ohnmächtig vor Freude sank die Prinzessin ihrem Retter zu Füßen[25]» sind seltene Ausnahmen und werden sofort als nicht stilecht empfunden. Wenn ein Märchenheld sich weinend auf einen Stein setzt, weil er sich nicht mehr zu helfen weiß, so wird dies nicht berichtet, damit wir seinen Seelenzustand sehen, sondern weil in diesen Fällen gerade diese Reaktionsart des Helden den Kontakt mit dem jenseitigen Helfer herbeiführt. Nach den Gefühlen, nach dem inneren Recht des zweiten Gatten der verlorengegangenen und wiedergefundenen Gemahlin oder Braut wird nicht gefragt. Um ihn loszuwerden, braucht man ihm nur die Frage zu stellen, ob der neue oder der alte Schlüssel gebraucht werden solle, wenn sich der verloren gewesene alte wiederfinde; die Antwort lautet regelmäßig: «Der alte», und damit spricht sich der Ahnungslose selber das Urteil; die Ehe ist gelöst durch einfaches Hin- und Widerspiel von Frage und Antwort, ohne Erregung, ohne jede Rücksicht auf das innere Empfinden des zweiten Gemahls (vgl. unten S. 67). Ja dieses innere Empfinden wird überhaupt nicht angedeutet; denn das Märchen zeigt uns flächenhafte Figuren, nicht Menschen mit lebendiger Innenwelt. Die Märchenheldin bringt es fertig, das Schweigegebot sieben Jahre lang zu erfüllen; von den seelischen Nöten und Konflikten, die in ihr dabei entstehen müssen, erzählt uns das echte Märchen nichts; es berichtet nur, wie die böse Schwiegermutter ihr die Kinder wegnimmt und sie bei ihrem Gatten verleumdet – von der seelischen Reaktion der Heldin kein Wort[26]. In der Brust des Sagenmenschen können die verschiedensten Gefühle miteinander ringen: Todesmut und Verzagtheit, Angst und Hoffnung, Gier und Ekel. Das Märchen aber, das derart hochgespannte Gefühle als solche überhaupt nicht kennt, verteilt auch die verschiedenen Möglichkeiten des Handelns noch auf verschiedene Gestalten, die es flächenhaft nebeneinander stellen kann: Das richtige Verhalten zeigt es bei dem Helden, das Versagen bei seinen Brüdern. In der Sage vollzieht der Mensch erregt und bebend die Erlösungshandlung: denn er trägt in sich das Bewußtsein des möglichen Versagens; unsicher schwankt er zwischen verschiedenen Möglichkeiten und wählt öfter die falsche als die richtige. Der Märchenheld aber trifft ebenso sicher das Richtige wie der Unheld das Falsche. Ohne zu zögern oder zu schwanken teilt der jüngste Bruder sein Brot mit dem unscheinbaren Bettler, ohne zu zögern weisen die beiden älteren ihn ab. Für jeden von ihnen gibt es nur eine Art des Handelns, und sie reagieren mit mechanistischer Eindeutigkeit. Die reiche Differenziertheit des Menschen wird im Märchen aufgelöst; statt in einem einzigen Menschen vereinigt sehen wir die verschiedenen Verhaltensmöglichkeiten, scharf voneinander getrennt, nebeneinanderstehenden Figuren zugeteilt. Selbst von Intelligenz kann man bei den Märchenfiguren nicht sprechen. Die im Märchen vorkommenden Scharfsinnsaufgaben sind, wie schon Charlotte Bühler bemerkt hat, gar keine eigentlichen Intelligenzproben, denn sie «sind einer so speziellen Situation entnommen, daß kein Scharfsinn je auf sie verfallen könnte». «Zur Lösung bedarf es stets ganz bestimmter Hilfen, die mit dem Scharfsinn der Person nichts zu tun haben, sondern ihr durch Glückszufall geboten werden[27].» Wenn dieselbe Verfasserin aber behauptet, daß in der Regel ein «Affekt» die Initiative zu ausschlaggebenden Handlungen verleihe, so vergreift sie sich im Ausdruck. Nicht die innere Regung, sondern die äußere Anregung treibt die Märchenfigur vorwärts. Gaben,

Funde, Aufgaben, Ratschläge, Verbote, wunderbare Hilfen und Widerstände, Schwierigkeiten und Glücksfälle treiben und lenken sie, nicht die Strebungen der eigenen Brust. Wenn es gilt, wach zu bleiben, so fallen die Unhelden unweigerlich in Schlaf, mechanisch wie eine Marionette; von einem Ankämpfen gegen das Einschlafen ist nicht die Rede. Der Held aber setzt sich, um wach zu bleiben, auf einen Ameisenhaufen[28] oder in einen Ring von Stachelgesträuch[29]; das heißt, er verläßt sich nicht auf die Kraft und Ausdauer seines Willens, sondern auch in diesem Fall auf äußere «Hilfe». Wo das Märchen nur immer kann, ersetzt es Inneres durch Äußeres, seelische Triebkräfte durch äußere Anstöße.

Märchenfiguren handeln im Grunde immer kühl. Selbst wo Zorn, Ärger, Eifersucht, Besitzwunsch, Liebe und Sehnsucht genannt werden[30], kann von eigentlichen Gefühlswallungen, von Gier, von Leidenschaft nicht die Rede sein. Das Märchen kennt grausame Strafen, aber es kennt keine Rachsucht. (Die Bösewichter werden so gut wie nie vom Helden selber bestraft; das besorgen entweder Nebenfiguren oder Jenseitige.) Es kennt Verlöbnis und Heirat, aber nicht das erotische Empfinden. Es kennt Jenseitige, aber nicht das numinose Gefühl. Es stellt überhaupt keine Gefühlswelt dar. Es übersetzt sie in Handlung, rückt die Innenwelt auf die Ebene des äußeren Geschehens. In der Sage treibt die numinose Angst, die innere Gefühlsspannung den Menschen oft bis in den Wahnsinn. Märchenfiguren werden niemals wahnsinnig. Sie haben nichts in sich, das in Wahnsinn umschlagen könnte; denn sie haben keine Tiefe, sondern nur Oberfläche.

Die Personen des Märchens besitzen nicht nur keine Innenwelt, sie besitzen auch keine *Umwelt*. Der Mensch der Sage lebt und wirkt in seinem Heimatdorf. Er verläßt es nicht, sondern lebt und erlebt, handelt und träumt hier. Hier hat er seine wesentlichsten Beziehungserlebnisse: mit den Dorfgenossen und mit der ganz anderen Welt. Die Schauplätze des Sagengeschehens sind ihm von Jugend auf vertraut; es sind die Äcker, Wiesen, Bäche seines Dorfes, es sind dessen Häuser, die Kirche; es sind die Waldstücke und Alpweiden der Dorfgenossenschaft. In der Fremde packt den Menschen, den die Sage schildert, das Heimweh; es treibt ihn unwiderstehlich zurück in die Heimat, mit der er sich verwachsen fühlt. Das Märchen sagt uns nichts von der Stadt oder dem Dorfe, in welchem sein Held aufgewachsen ist. Im Gegenteil, es zeigt ihn uns mit Vorliebe gerade in dem Augenblick, wo er es verläßt und in die Welt hinauswandert. Wenn er je wieder zu seinem Ausgangspunkt zurückkehrt, so tut er es nur deshalb, weil die Handlungsführung es erfordert, nicht, weil er äußerlich oder innerlich an diesen Ort gebunden wäre. Tausend Gründe findet das Märchen, seine Helden auswandern zu lassen: die Not der Eltern, die eigene Armut, die Bosheit der Stiefmutter, eine vom König gestellte Aufgabe, die Abenteuerlust des Helden, irgendeinen Auftrag oder einen Wettbewerb. Jeder Anlaß ist dem Märchen recht, der den Helden isoliert und ihn zum Wanderer macht. In ein und demselben Märchen schickt der Vater die beiden älteren Söhne zur Strafe, den jüngsten aber zur Belohnung in die Welt hinaus[31]! Der Mensch der Sage braucht sich nicht von seinem Standorte zu entfernen, um Wesentliches zu erleben; denn er hat eigene Seelentiefe und reiche, spannungsvolle Beziehungen zur Umwelt genug. Der Märchenheld muß wandern, um mit dem Wesentlichen zusammenzutreffen. Was in der Sage tiefgestaffelte Innenwelt und Umwelt ist, wirft das Märchen auf ein und dieselbe Fläche *nebeneinander*.

Der Held des Märchens ist auch nicht ins *verwandtschaftliche Gefüge* eingebettet. Von den Eltern löst er sich, soweit sie nicht als Handlungsbeweger wichtig bleiben, und die Brüder (bei der Heldin die Schwestern) sind bloße Kontrastfiguren (vgl. unten S. 82). Die Schwiegermütter sind nur als Gegner bedeutsam; Kinder der Heldin werden nur dann genannt, wenn sie die Handlungsführung beeinflussen (vgl. oben S. 16); von den Kindern des Helden ist überhaupt kaum je die Rede. Eine innere oder äußere Beziehung zur Sippe oder gar zu einer Volksgemeinschaft besteht nicht. Die Braut oder Gattin endlich interessiert wiederum nur als Handlungsbeweger oder als Handlungsziel. Mit der Heirat ist das Märchen zu Ende, wenn nicht eine nochmalige Trennung neue Aufgaben, Gefahren und Abenteuer heraufbeschwört. Die Vereinigung mit der Braut wird so lange wie möglich hinausgeschoben – nicht nur durch Häufung, Reihung und Variierung der Schwierigkeiten, sondern oft durch den bloßen Entschluß des Helden, sich vorher noch ein Jahr lang die Welt zu besehen. Die Ehe ist eben in Wahrheit nicht das ersehnte Ziel des Märchenhelden, sondern nur der Schlußpunkt der abenteuerlichen Handlungslinie.

Zwischen den einzelnen Märchenfiguren bestehen keine festen und dauernden *Beziehungen*. Eltern, Geschwister, erlöste Nebenfiguren verschwinden aus dem Gesichtsfeld, sowie sie für die Handlung nichts mehr zu bedeuten haben. Die jenseitigen Helfer sind nicht Wohn- und Arbeitsgenossen der Diesseitigen, sondern tauchen dort, wo die Handlung es erfordert, unvermittelt aus dem Leeren auf. Meist gehört zu jeder neuen Situation auch ein neuer Helfer; aber selbst wenn derselbe Jenseitige mehrmals auftritt, verschwindet er zwischenhinein – und zwar nicht irgendwohin, in eine Tiefe, die hinter den Dingen da wäre, sondern er wird einfach nicht mehr erwähnt. Er leuchtet nur auf, wenn er in die Ebene der Handlung eintritt – dann aber mit ebenso scharfer Kontur und Farbkraft wie die Diesseitigen; nichts von den verschwimmenden Umrißformen, von dem schwer Greifbaren der Sagenjenseitigen haftet ihm an. Er ist mit derselben Klarheit und in derselben Art gezeichnet wie die Diesseitigen und steht *neben* diesen, ohne sich plastisch von ihnen abzuheben. Dazu kommt, daß die Beziehungen selber nicht ungreifbar bleiben, daß sie nicht unsichtbare innere Verbindungen zwischen den einzelnen Figuren darstellen, sondern gewöhnlich in Gestalt einer Gabe sichtbar werden. Die Beziehung zwischen dem Helden und dem helfenden Tier verdinglicht sich in dem Haar, der Feder oder der Schuppe, die er von ihm erhalten hat; nicht durch seine geistige Kraft, nicht durch eine Willensanstrengung zieht der Held den Helfer herbei; er zitiert ihn mühelos durch das einfache Drehen der beziehungstragenden Gabe (vgl. unten S. 63). Kein seelisches Gefühl, sondern ein äußeres Erkennungszeichen verbindet den Helden mit der erlösten Prinzessin, von der er sich noch einmal trennt. Eine Garnspule vermittelt den Kontakt Goldmaries mit dem Reiche der Frau Holle. So treten die Beziehungen, statt eine innere Gliederung zu schaffen, veräußerlicht zwischen die Märchenfiguren; sie stehen damit in derselben Ebene wie diese selber; statt tiefenbildend zu wirken, tragen sie dazu bei, das Ganze flächenhaft erscheinen zu lassen. Nicht einmal äußerlich, als dinglicher Besitz, geben sie dem Helden Plastik. Denn dieser verwendet sie nur einmal oder höchstens dreimal in seinem Leben, nur dann, wenn er vor der entscheidenden Aufgabe steht. Vorher und nachher denkt er gar nicht daran, sie zu benützen. Die wunderbaren Schlüssel, Ringe und Kleider, die fliegenden Schuhe, Teppiche und Pferde, die Zaubersalben und Zauberfrüchte des Märchens dienen nicht dazu, dem Helden Annehmlichkeit und Behagen zu schenken oder ihm in seinem Beruf zu helfen – er übt meist keinen aus, selbst dann nicht, wenn einer genannt wird: auch von dieser Seite her ist er flächenhaft gezeichnet –, sondern einzig und allein, bestimmte Aufgaben und Gefahren zu bewältigen oder bestimmte Abenteuer herbeizuführen. Zu der eigentlichen Umwelt des Helden gehören auch sie nicht, so wenig wie irgend etwas anderes; er *hat* keine Umwelt, sondern ist isolierte Figur.

Ebensowenig wie die diesseitige ist die *jenseitige Welt* plastisch gegliedert. Sie interessiert das Märchen nur, insofern sie in die Handlung eingreift. Ihr eigenes Leben wird weder dem Märchenhelden noch uns gezeigt. Die Jenseitigen tauchen in dem Augenblick auf, wo sie nötig sind. Meist sind es Einzelgestalten. Mit größter Präzision und Sicherheit erfüllen sie ihre Handlungsaufgabe und verschwinden nachher wieder. Wieso sie im Besitze ihres Wissens sind, wo sich ihre Macht herleitet, ob sie die Wunderdinge, die sie den Diesseitigen zur Verfügung stellen, auch selber gebrauchen und zu welchen Zwecken, in welcher Weise, alles dies wird uns nicht gesagt. Wir sehen von ihren Eigenschaften, ihrer Stellung, ihren Beziehungen untereinander nur gerade das, was die Handlung uns enthüllt[32]. Auch bei ihnen tun wir keinen Blick in seelische Tiefen, während wir in der Sage die Qual und Sehnsucht der Jenseitigen ergriffen miterleben. In der Sage ist die Welt der Jenseitigen gerade noch zu ertasten und verliert sich allmählich im Dunkel. Für das Märchen ist der Jenseitige wie der Diesseitige nur Handlungsfigur. Beide sind gleich klar und flächenhaft dargestellt, ohne konkrete, in den Umrissen verschwimmende Tiefe, Nuanciertheit und Verflochtenheit. Beide sind nach innen und außen isoliert. Deshalb ist der grundsätzliche Abstand zwischen ihnen gering; sie können sich begegnen, ohne daß es ihnen selber oder den Märchenhörern erstaunlich wäre – aber freilich nur sich begegnen, nicht eine innige Verbindung eingehen. Sie bleiben trotz der Begegnung nebeneinander. Die Gabe, die vom Jenseitigen kommt und zum Diesseitigen geht und doch mit keinem von ihnen spezifisch verbunden ist, steht zwischen ihnen; sie verbindet und trennt sie zugleich.

Schließlich fehlt in der flächenhaften Welt des Märchens auch die Dimension der *Zeit*. Wohl gibt es junge und alte Menschen: Prinzen und Könige, Töchter und Mütter, jüngere und ältere Brüder und Schwestern, desgleichen junge und alte Zwerge, Hexen und Jenseitstiere. Aber *alternde* Menschen gibt es keine, und ebensowenig alternde Jenseitige. König, Prinz und Diener können beliebig lange Zeit in Tiere, Pflanzen oder Steine verzaubert sein – wenn sie erlöst werden, sind sie genau so alt oder jung wie damals, als sie verwünscht wurden. Am vertrautesten ist uns diese Unempfindlichkeit des Märchens gegen das Ablaufen der Zeit vom «Dornröschen» her, wo die Heldin mit ihrer ganzen Umgebung nach hundert Jahren Schlaf gleich jung und schön erwacht, wie sie vorher war. Die Grimms haben hier der Verlockung nicht widerstanden, das Phänomen durch groteske Einzelzüge besonders deutlich zu machen: «Die Fliegen an den Wänden krochen weiter, das Feuer in der Küche erhob sich, flackerte und kochte das Essen, der Braten fing wieder an zu brutzeln, und der Koch gab dem Jungen eine Ohrfeige, daß er schrie, und die Magd rupfte das Huhn fertig.» In der ursprünglichen Niederschrift Jacob Grimms hieß es nur: «Und alles erwachte von dem Schlaf[33].» Die übermütige Ausmalung verstößt gegen den knappen, nur die Handlungspunkte bezeichnenden Stil des echten Volksmärchens (vgl. unten S. 25ff.); aber sie läßt uns dafür eindringlich eben jene andere Wesenseigenschaft des Märchens erleben: die Bedeutungslosigkeit des Zeitablaufs. Bei den Grimms fällt es dem Erlöser-Prinzen nicht von ferne ein, in Tracht und Baustil etwas irgend Veraltetes festzustellen, und auch der Hörer des Märchens denkt nicht daran, daß die Mode im Verlaufe der hundert Jahre sich verändert haben könnte. Anders Perrault: «Le prince aida la princesse à se lever; elle estoit tout habillée, et fort magnifiquement; mais il se garda bien de luy dire qu'elle estoit habillée comme ma mere-grand et qu'elle avoit un collet monté; elle n'en estoit pas moins belle. Ils passèrent dans un salon de miroirs et y souperent, servis par les officiers de la princesse. Les violons et les hautbois jouërent de vieilles pièces, mais excellentes, quoyqu'il y eut prés de cent ans qu'on ne les joüast plus.» Durch diesen anmutig-geistreichen Realismus zerstört der Franzose die dem Märchen wesenseigene Zeitlosigkeit.

Das deutsche Märchen läßt den Jenseitigen gerne als «alten Mann» oder «alte Frau» dem Helden in den Weg treten. Dabei bringt es starr und wörtlich immer wieder dieselbe Formulierung: alt. Die naheliegende Variation «uralt» findet sich fast nie; sie ließe zu stark den Vorgang des Altwerdens ahnen. Eher schon trifft man «steinalt» und «meeralt», die durch den Vergleich mit toten, mineralischen Stoffen der Neigung des Märchens zur Formstarrheit entgegenkommen und keinerlei Werden andeuten. Das einfache «alt» aber ist am häufigsten; es ist eindeutig, knapp, zuständlich, ohne verborgene Steigerungsmöglichkeiten.

Die Helden des Märchens besitzen die ewige Jugend. Nichts vermag ihr Abtrag zu tun, keine Zeitspanne und keine Sorge, die längste Irrfahrt nicht und die schlimmsten Schicksalsfälle nicht. Wie die Verwünschten jahrelang in eine fremde Form verzaubert, zu harten Diensten gezwungen sein können, ohne daß nach ihrer Erlösung die geringste Spur der «Leidens»-«Zeit» an ihnen haften bliebe, so trägt auch der Held, der Täter, keine Zeichen der bestandenen Gefahren und Schwierigkeiten an sich. Er mag noch so Entsetzliches erleben – seine Schönheit und seine Jugend werden davon nicht berührt. Keine Furchen graben sich in die Stirne ein, die Haare bleichen nicht. Wenn der Märchenheld im Verlaufe eines Abenteuers eines oder mehrere seiner Glieder verliert, so wachsen sie ihm später wieder nach; nicht allmählich, sondern mit mechanischer Plötzlichkeit (vgl. unten S. 35f., 52), sobald ein bestimmter Punkt der Handlungsentwicklung erreicht ist, oder sie bleiben im weiteren Verlaufe der Erzählung unbeachtet, ein stumpfes Motiv. Hier wird es offenbar, daß die fehlende zeitliche Tiefe in Zusammenhang steht mit der fehlenden seelischen Tiefe. Da die Schicksalsschläge, die den Märchenhelden treffen, all die Kämpfe, die Gefahren, Verluste, Entbehrungen ihn nur äußerlich vorwärts bewegen, aber nicht in die Tiefe seiner Seele hineinwirken, so vermögen sie ihn auch nicht zu verändern; er ist nach dem Kampfe derselbe, der er vorher war; er altert nicht. Die Zeit ist eine Funktion des seelischen Erlebens. Da die Gestalten des Märchens nur Figuren sind, Handlungsträger ohne Innenwelt, so muß im Märchen auch das Erlebnis der Zeit fehlen.

Ein Blick auf die Sage zeigt uns den eigenartigen Stil des Märchens besonders scharf. Dort, in der Sage, wo Angst, Staunen, Anspannung, Erschütterung und Erkrankung der Seele im Mittelpunkt der Darstellung stehen, entfaltet sich auch die Wesenheit der Zeit in ihrer ganzen tiefenbildenden Realität. Schon äußerlich tragen die Sagenzwerge gerne die Zeichen des Alterns: verschrumpelte Haut, gebückte Haltung, graues Haar. Wenn wir sie gar davon sprechen hören, wie der Dorfwald zu ihren Lebzeiten schon dreimal abgeholzt worden und wieder neu aufgewachsen sei, so glauben wir das langsame Zeitverrinnen mit Händen zu greifen. Ähnlich wirkt es, wenn der ewige Jude erzählt, daß er die Landschaft bei jeder Wiederkehr völlig verwandelt gefunden habe. Wenn in der Sage jemand hundert und mehr Jahre schläft oder in einem unterirdischen Reiche zubringt, so zerfällt er bei seiner Rückkehr zu den Menschen in Staub und Asche oder schrumpft zum uralten Männchen oder Mütterchen zusammen. Aber erst, wenn man ihn auf die seit der Entrückung verflossene Zeit aufmerksam macht; dann nämlich wird er sich der ganzen abgelaufenen Zeit mit einem Male bewußt und erlebt seelisch und körperlich in einem einzigen Augenblick, was er in jenem ganz anderen Zustand, in dem andere als menschliche Gesetze herrschten, nicht erleben konnte: die Macht der Zeit. Diese ist so völlig abhängig vom Erleben, daß sie, solange der Mensch sich ihrer nicht bewußt ist, nicht wirken kann; dann aber, sobald die dahingeflossene Zeit ins Bewußtsein tritt, holt der Körper das jahrelang Versäumte in einer einzigen Minute nach: Er schrumpft zusammen und zerfällt. Damit wird in der Sage körperlich sichtbar, was sich sonst allmählich und unmerklich vollzieht: das Altern. Im Märchen sind die Jungen unverändert jung und die Alten unverändert alt. Die alten Könige sterben nur, damit die Helden das Reich erben und so die Handlung ihren Schlußpunkt finden kann; von Zeitverrinnen ist dabei nichts spürbar[34]. – Die Sage berichtet gerne, wie einer, der von der jenseitigen Welt angerührt worden ist, langsam dahinsiecht; sie stellt auch die langsame Wandlung der von Jenseitswesen empfangenen Gaben dar: das Schwinden und Nachwachsen des wunderbaren Käsleins, des wunderbaren Garns. Im Märchen vollziehen sich alle Formveränderungen mechanistisch schlagartig, sie lassen das Gefühl einer Entwicklung, eines Werdens, Wachsens, Vergehens, eines zeitlichen Ablaufs eben, nicht aufkommen[35]. – In der Sage ergreift der Fluch ganze Geschlechter; durch Jahrhunderte wirkt er sich aus und lastet auf allen Nachkommen. Einst blühende Alpen vereisen, und der alte Zustand ist für ewig dahin. Entsprechend vererben sich wertvolle Talismane und Geheimnisse von Geschlecht zu Geschlecht. Im Märchen ist von Kindern, Eltern und Geschwistern des Helden nur dann die Rede, wenn sie handlungswichtig sind. Die Zauberdinge braucht nur er selber, und sogar er nur einmal oder dreimal: in ganz bestimmter Situation, um eine wichtige Aufgabe zu lösen, eine Gefahr zu bewältigen. Da blitzt das Zauberding scharf sichtbar auf; nachher ist es wesenlos geworden und wird nicht mehr erwähnt. Frühere und spätere Zeiten verbindendes Erbstück ist es nie. Die Verwünschung des Märchens trifft nur nebeneinanderstehende Figuren; niemals wirkt sie von frühen Vorfahren her auf späte Nachkommen. Nach der Erlösung aber stehen auch jahrhundertelang Verwünschte nicht an, ihre jungen Erlöser zu heiraten: Erlöser und Erlöste stehen auf ein und derselben Ebene. In der Sage ist eine Heirat zwischen dem Erlöser und der erlösten armen Seele fast undenkbar; der Tod und die Zeit stehen zwischen ihnen. Wer einmal ins Jenseitsreich eingegangen ist, wird nicht wieder Mensch. Dem Märchen ist nicht nur das Jenseitige keine «ganz andere» Dimension, ihm steht auch die Vergangenheit spannungslos neben der Gegenwart.

Das Märchen verzichtet auf räumliche, zeitliche, geistige und seelische Tiefengliederung. Es verzaubert das Ineinander und Nacheinander in ein Nebeneinander. Mit bewundernswerter Konsequenz projiziert es die Inhalte der verschiedensten Bereiche auf ein und dieselbe Fläche: die Körper und Dinge als Figuren, die Eigenschaften als Handlungen, die Beziehungen zwischen einzelnen Wesen als äußerlich sichtbare Dinggaben; verschiedene Verhaltensmöglichkeiten werden verschiedenen Figuren zugewiesen (dem Helden und dem Unhelden), geistige oder seelische Entfernung wird durch äußere Entrückung dargestellt (vgl. oben S. 11f., 14–18). Wenn wir den Helden auf der Suche nach Abenteuern, nach Wunderdingen oder nach der verlorenen Gattin entschlossen über weite Strecken dahinwandern sehen, wenn die wunderbaren Gaben der Jenseitswesen ihn mühelos in die Ferne tragen, so spüren wir, daß die ganze flächenhafte Darstellung nicht einem Unvermögen entspringt, sondern dem sehr entschiedenen und sicheren Formwillen des Märchens. Die primitive Kurzform der Sage kennt die Räumlichkeit in jedem Sinne und läßt sie wirklichkeitsnah vor uns erstehen. Das Märchen saugt alles Räumliche von den Dingen und Phänomenen ab und zeigt sie uns als Figuren und figurale Vorgänge auf einer hell beleuchteten Fläche.

Die entschiedene Durchführung der Flächenhaftigkeit verleiht dem Märchen *Wirklichkeitsferne.* Von allem Anfang an, a principio, geht das Märchen nicht darauf aus, die konkrete Welt mit ihren vielen Dimensionen einfühlend nachzuschaffen. Es schafft sie *um*, es verzaubert ihre Elemente, gibt ihnen eine andere Form und erschafft so eine Welt völlig eigenen Gepräges.

Innerhalb der flächigen Welt des Märchens heben sich die einzelnen Figuren durch scharfe Kontur und reine Farbe äußerlich voneinander ab. Die Fläche als solche ist es, die nach Konturen und Farben ruft. Das Bild des Malers braucht Rahmen und Farbe, das Gebilde des Plastikers kann auf beides verzichten. Die Konturen der plastischen Gestalt verlieren sich in der Tiefe des Raumes, sie verdämmern im Unbestimmten; auf der Fläche aber sind die Linien scharf und eindeutig. Das Äußere des Körpers weist uns ständig auf ein verborgenes Inneres; die Fläche aber ist in sich selber isoliert. Die Malerei kann diesen wirklichkeitsfernen Charakter der reinen Fläche verwischen oder erhöhen. Sie kann Rundung, Plastik, Wirklichkeit vortäuschen, sie kann die Fläche tiefengründig erscheinen lassen. Aber sie kann auch das Flächenhafte an sich wirken lassen und es durch geometrische Linienführung und krasse Farbgebung betonen. Das Märchen geht diesen letzten Weg.

Die scharfe Kontur kommt im Märchen schon dadurch zustande, daß es die einzelnen Dinge nicht schildert, sondern nur nennt. Handlungsfreudig, wie es ist, führt es seine Figuren von Punkt zu Punkt, ohne irgendwo schildernd zu verweilen. Die Volkssage starrt gebannten Blicks auf bestimmte Gebäude, Bäume, Höhlen, Wege, Erscheinungen und sucht ihnen immer neue Seiten abzugewinnen; auch die Erzählungen von Tausendundeiner Nacht verlieren sich gerne in der Schilderung der wunderbaren Paläste, der steinernen Städte, in die der Held vordringt – und gelangen dadurch, entsprechend der Lessingschen Regel, zu verwirrender Fülle. Einläßliche Beschreibungen vermitteln nicht scharfe Bilder, sondern lassen uns die Übersicht verlieren. Das europäische Volksmärchen kennt keine Schilderungssucht. Wenn es seinen Helden auf der Suche nach Bruder und Schwester auf eine eiserne Stadt treffen läßt, so verschwendet es kein einziges Wort an die Beschreibung der eisernen Bauten; ohne links oder rechts zu blicken und ohne die geringste Regung von Verwunderung verfolgt der Held sein Ziel. «Der neue König beschloß nun, Bruder und Schwester zu suchen, durchwanderte viele Städte, fand aber nichts. Am Ende kam er zu einer Stadt, die war ganz aus Eisen; er ging hinein, aber es war keine lebende Seele darin; alle Häuser waren geschlossen, und auf der Straße war niemand. Nur vor ein großes Haus kam er, das offen war; als er hineintrat, sah er auf einmal einen großen Drachen ein Lamm am Spieß braten, zu dem ging er hin und begrüßte ihn mit Gott helfe. Der Drache antwortete darauf nicht. Da wurde der junge König zornig und versetzte dem Drachen einen Hieb, und nun erhob sich zwischen ihnen ein blutiger Kampf[36].» Nur was handlungswichtig ist, wird erwähnt, nichts um seiner selbst willen; nichts wird ausgemalt. Die *Einheit des Beiwortes* herrscht: eine Stadt ganz aus Eisen, ein großes Haus, ein großer Drache, der junge König, ein blutiger Kampf. Diese echt epische *Technik der bloßen Benennung* läßt uns alles Benannte als endgültig erfaßte Einheit erscheinen. Jeder Ansatz zu ausführlicher Beschreibung erweckt das Gefühl, daß nur ein Bruchteil von allem Sagbaren wirklich gesagt wird; jede eingehende Schilderung lockt uns fort ins Unendliche, zeigt uns die sich verlierende Tiefe der Dinge. Die bloße Nennung dagegen läßt die Dinge automatisch zu einfachen Bildchen erstarren. Die Welt ist eingefangen ins Wort, kein tastendes Ausmalen gibt uns das Gefühl, daß nicht alles erfaßt sei. Die knappe Bezeichnung umreißt und isoliert die Dinge mit fester Kontur. Alle Diesseitigen und Jenseitigen des Märchens, aber auch alle Gegenstände und Örtlichkeiten werden in dieser Weise bezeichnet. Der Wald, in dem sich der Märchenheld verirrt, wird immer nur genannt, niemals geschildert. Die Brüder Grimm verlassen den Stil des echten Märchens, wenn sie von den roten Augen und dem wackelnden Kopf der Hexe erzählen, von ihrer langen Nase, auf welcher eine Brille sitzt[37] – das wirkliche Volksmärchen spricht nur von einer «häßlichen Alten», einer «alten Hexe», einer «bösen Hexe» oder einfach von einem «alten Weib». «Was man der Handlung gibt, nimmt man den Charakteren[38]» – dieses Gesetz gilt auch für das Märchen; es verzichtet konsequent auf individualisierende Charakteristik. Das bedeutet in seinem Gefüge nicht Verlust, sondern Gewinn. Die knappe Benennung verleiht allen seinen Elementen jene Formbestimmtheit, nach der der ganze Stil des Märchens strebt.

Unter den Dingen, die das Märchen nennt, sind solche besonders häufig, die schon an sich eine *scharfe Umrißlinie* besitzen und aus festem Stoffe bestehen. Ringe, Stäbe, Schwerter, Haare, Nüsse, Eier, Kästchen, Geldbeutel, Äpfel wandern als Gaben von den Jenseitigen zu den Diesseitigen. Die Jenseitigen wohnen selten im sich verlierenden Dickicht des Waldes oder in Erdhöhlen wie die Unterirdischen der Sage; das

Märchen gibt ihnen feste Häuser oder Schlösser oder unterirdische Prachtbauten. Die Waldhexe in «Hänsel und Gretel» hat ihr kleines Haus, das sich scharf von seiner Umgebung abhebt; Frau Holle in ihrem lichten Reiche unter der Erde wohnt ebenfalls in «einem kleinen Haus»; ebenso der Unterweltsteufel des lettischen Kurbads-Märchens; der nordische Troll kann der Herr eines Schlosses sein[39]; selbst Rumpelstilzchen, das Erdmännlein, lebt in einem eigenen Häuschen. Der Held tritt immer wieder in Städte, Schlösser oder Zimmer hinein, in deren vier Wänden sich nun das Geschehen abspielt. «Der kühne Jüngling verließ die weißsteinernen Gemächer, ging zur Stadt hinaus, ging weiter und weiter, war es nah oder weit, niedrig oder hoch – da stand eine riesengroße Scheuer.» Sie erst gibt den Rahmen für das nun folgende Abenteuer[40]. Wie oft beschwört das Märchen jene Szene, wo der Held allein im Palaste des Jenseitigen zurückbleibt und nun nach und nach alle seine Zimmer betritt, zuletzt auch das verbotene zwölfte! Wie gerne schließt es Held oder Heldin in einen Turm, einen Palast, einen Koffer oder Kasten ein. Aber auch die Menschen und Jenseitigen selber sind in sich geschlossene Figuren, denen nichts Unbestimmtes anhaftet. Selbst die zum Tode Verurteilten, die von Pferden auseinandergerissen werden, werden nicht blutig zerrissen und zerfetzt, sondern haarscharf mittenentzwei getrennt; sie zerfallen in «Stücke». «Alsbald befahl der Prinz seinen Dienern, die Schwestern je an zwei Pferde zu binden, das eine Bein an das andere, und die Pferde mit der Peitsche auseinanderzutreiben. Das geschah, und die Schwestern der Prinzessin wurden so in zwei Stücke gerissen[41].» Jean de l'Ours «fendit en deux le géant[42]». Kranke Prinzessinnen finden durch eine rein mechanische Kur Heilung: sie werden zerstückelt und nachher untadelig wieder zusammengesetzt. Rumpelstilzchen reißt sich selbst «mittenentzwei». Wir sehen die symmetrisch und linienscharf getrennten Hälften, denen kein Blut entfließt und die nichts von ihrer Formbestimmtheit verlieren.

In derselben Richtung wirkt die Neigung des Märchens, Dinge und Lebewesen zu *metallisieren* und zu *mineralisieren.* Nicht nur Städte, Brücken und Schuhe sind steinern, eisern oder gläsern, nicht nur Häuser und Schlösser sind golden oder diamanten, auch Wälder, Pferde, Enten, Menschen können golden, silbern, eisern, kupfern sein oder plötzlich zu Stein werden. Metallische Ringe, Schlüssel, Glocken, goldene Gewänder, Haare, Federn oder Edelsteine und Perlen kommen fast in jedem Märchen vor. Besonders beliebt sind goldene Äpfel. Goldene und silberne Birnen, Nüsse, Blumen, gläserne Werkzeuge, goldene Spinnräder gehören zu den stehenden Märchenrequisiten. Einzelne Hände, Finger,

Füße oder Haare werden versilbert oder verkupfert. Bestimmte Märchenhelden tragen einen goldenen Stern auf der Stirn oder auf dem Knie. Die südslawische Kaiserstochter hat auf der Stirne einen Stern, am Busen eine Sonne und auf dem Knie einen Mond[43]. Ein gewaltiger Goldregen vergoldet die Heldin des Frau-Holle-Märchens: «Unser goldenes Mädchen kommt[44]!» Aber auch die Unheldin wird mit Pech überschüttet oder in ein hölzernes Kleid gesteckt und dann mit Pech überstrichen[45]; statt der schmiegsamen menschlichen Gestalt sehen wir eine starre, schwarze Hülle. Auch steinerne Kleidungsstücke, eine Weste[46] oder eine Hose[47] aus Marmor, kommen vor. Diese Vorliebe des Märchens für alles Metallische und Mineralische, für formstarres Material überhaupt, trägt viel dazu bei, ihm feste Form und bestimmte Gestalt zu geben. Besonders deutlich wird dies dort, wo das Märchen Lebendiges metallisiert oder mineralisiert.

Innerhalb der Metalle bevorzugt das Märchen die edlen und seltenen: Gold, Silber, Kupfer. Das fliegende Schiff ist «ganz von Gold, die Maste aus Silber, die Segel aber von Seide[48]». Das Seltene, Kostbare hebt sich aus seiner Umgebung heraus, es steht isoliert. Dazu kommt die starke Leuchtkraft der edlen Metalle und Gestirne. Ein goldenes oder kupfernes Pferd erscheint nicht nur deshalb wirklichkeitsfern, weil es real nicht vorkommen kann; schon der reine Glanz seiner Farbe sticht scharf vom individuell Wirklichen ab. Die Wirklichkeit zeigt uns eine Fülle von verschiedenen Tönungen und Schattierungen. Mischfarben sind in ihr weit häufiger als reine Töne. Das Märchen aber bevorzugt die klare, ultrareine Farbe: golden, silbern, rot, weiß, schwarz, daneben etwa noch blau. Golden und silbern haben metallischen Glanz, schwarz und weiß sind unindividuelle Kontraste, und rot ist die krasseste der Farben; sie reißt die Aufmerksamkeit des kleinen Kindes am frühesten auf sich. Von Mischfarben kommt einzig Grau vor; aber auch es hat im Märchen metallischen Charakter; statt von einem Graumännchen ist zuweilen von einem eisernen Männchen die Rede. Grün, die Farbe der lebendigen Natur, kommt auffallend selten vor. Der Märchenwald ist ein «großer Wald», zuweilen ein «dunkler Wald», so gut wie nie ein «grüner Wald». Feinere, individuellere Tönungen, etwa bräunlich, gelblich, fehlen vollends. Weiß wie Schnee, rot wie Blut und schwarz wie Ebenholz ist Sneewittchen. Sonne, Mond und Sterne leihen den Kleidern und sogar den Körpern der Prinzessinnen Farbe und Ornament. Die Pferde des Märchens sind schwarz, weiß oder rot[49]; auch rote Schafe gibt es[50], schwarze Männer[51] (im bulgarischen Märchen ist der Neger eine beliebte Figur[52] – ähnlich wie in Tausendundeiner Nacht), schwarze und weiße Wölfe, Böcke, Hähne. Doch häuft das Märchen die Farbwerte nicht. Ein reiches Durcheinander von bunten Farben würde die strenge Linearität stören. Nur wenige Dinge und Gestalten sind mit einer Farbbezeichnung ausgestattet; sie heben sich um so klarer von den übrigen, farblos gezeichneten ab.

Ebenso scharf und bestimmt wie Kontur, Stoff und Farbe der Märchenfiguren ist die *Linie der Handlung*. Die Handlung des Märchens spielt sich nicht, wie etwa die der Sage, im heimatlich beschränkten Raume unter unbestimmt vielen Teilnehmern ab. Sie greift entschlossen ins Weite, führt ihre wenigen Hauptgestalten über weite Strecken in ferne Reiche, die aber ebenso hell beleuchtet und scharf konturiert vor uns stehen wie alles andere. Ein norwegischer Märchenheld kommt nach langem Wandern schließlich «zur Winterszeit in ein Land, wo alle Straßen geradeaus gingen und keinerlei Biegung machten[53]» – ein echtes Märchenland von winterlicher Klarheit und geometrischer Linearität! Unter den Gaben, die hilfreiche Jenseitswesen den Märchenhelden verleihen, sind Bewegungsmittel besonders häufig; wunderbare Pferde, Wagen, Schuhe, Mäntel tragen den Helden in die Ferne, ein Ring versetzt ihn, wohin er sich wünscht. Alle möglichen Gründe werden erfunden, um Held und Unheld in die Fremde wandern zu lassen (vgl. oben S. 18[54]). Der Märchenheld ist *wesenhaft* ein *Wandernder*. Rein und klar entwickelt sich die Linie der Märchenhandlung vor unserem Auge. Sie wird getragen von einzelnen Figuren; und im echten Märchen hat jede einzelne Figur ihre Handlungsbedeutung. Der Held zieht, auch wenn er Prinz oder König ist, fast immer allein aus; ein einziger Diener mag ihn begleiten, der dann aber auch seine eigene Funktion hat[55] und als Einzelfigur ebenso scharf sichtbar ist wie der Held. Das Nebeneinander und Nacheinander, statt des Ineinander, gestattet eine vollkommene Übersicht. Was in der Wirklichkeit ein nicht durchschaubares Ganzes bildet oder in langsamem, verborgenem Werden sich entfaltet, vollzieht sich im Märchen in scharf getrennten Stationen. Drei Aufgaben muß der Held lösen, um die Prinzessin zu erringen; dann aber gehört sie ihm sicher und endgültig: «Und sie lebten glücklich bis an ihr seliges Ende.» «Prinz und Prinzessin aber lebten fortan ohne Gefahr und Schaden[56].» Oder der Held verliert die Gattin wieder – aber nicht so, daß sie sich allmählich von ihm abwendet; sondern ein bestimmter Formfehler, meist das Übertreten eines Verbotes, bewirkt, daß sie ihm mit einem Schlag entrückt wird – und nun geht er auf die Wanderung, um sie wiederzufinden. Wie er sie durch ein einziges Versehen verloren hat, so gewinnt er sie durch einen glücklichen Griff wieder, meist beim dritten Ansatz, nach zweimaligem Mißerfolg. Kein Zögern, kein Schwanken, keine Halbheiten hemmen das Vorwärtsschreiten oder die Linienschärfe. Richtige und falsche Reaktionen führen zu entschlossenem Ausgreifen oder ebenso entschlossenen Ausbiegungen und Rückwendungen. Alles Seelische ist nach außen verlegt, ist Handlung geworden oder Gegenstand (Beziehungsgabe, vgl. oben S. 18f.), und dadurch scharf und eindrücklich sichtbar. Nichts bleibt unbestimmt und hintergründig.

Dieses klare, zielstrebige Märchengeschehen mit seinen farbkräftigen, umrißscharfen Figuren, mit der reinen, weit dahinziehenden Handlungslinie ist auch innerlich von der größten Wirkungsschärfe. Seine Träger werden vor ganz bestimmte Aufgaben gestellt: Sie sollen kranke Prinzessinnen heilen, Zauberkühe bewachen, in einer Nacht eine goldene Brücke oder einen prächtigen Garten bauen, eine Kammer voll Stroh zu Gold spinnen; sie müssen ferne Zauberdinge herbeischaffen, Drachen- und Riesenkämpfe bestehen, ein feindliches Heer schlagen, auf den Glasberg reiten, der Königstochter im Luftritt den goldenen Apfel aus der Hand nehmen; und während die Unhelden eindeutig versagen und oft mit dem Tode büßen – denn die Aufgabe ist gerne mit extremer Belohnung und Bestrafung verbunden: Prinzessin und Reich oder Tod –, gelingt dem Helden das Unmögliche. Er begegnet immer gerade den Jenseitswesen, die genau das wissen oder können, was zur Lösung der betreffenden Aufgabe nötig ist. Und während seine Brüder den Jenseitigen mit unwahrscheinlicher Sicherheit falsch (nicht immer schlecht!) behandeln, behandelt er sie mit ebensolcher Sicherheit und ohne jedes Schwanken richtig (nicht immer wohlmeinend[57]!), worauf sie ihm ihre Gaben spenden, die mit größter Präzision zu den speziellen Aufgaben passen, vor die der Held sich gestellt sieht. Wenn er später eine oder drei Schüsseln voll Körner oder Linsen zusammenlesen muß, so hat er vorher Ameisen getroffen, die ihm nun zu Hilfe eilen, oder er kennt, niemand sagt uns warum, ein Zaubersprüchlein, das Tauben herbeizurufen vermag (Aschenputtel); wenn er ein Ringlein aus dem Meere holen muß, so ist es ein Fisch gewesen, der ihm Dank schuldig geworden ist; soll er Fohlen hüten, die ihm davonlaufen, so hat er sich vorher, lange bevor er die Schwierigkeiten kannte, in die er geraten würde, Fuchs, Wolf und Bär zu Freunden gemacht, deren Kräfte genau so weit reichen, als nötig ist, die entlaufene Herde zurückzuholen[58]. Geht er auf die Suche nach einem Zauberpferd oder nach den verlorenen Geschwistern, so trifft er unterwegs alte Frauen oder Einsiedler, die ihm gerade den Rat geben können, den er nötig hat; dabei sind diese Ratgeber durchaus nicht allwissend; aber sie wissen immer das, was an dem betreffenden Punkte der Handlung zu wissen not tut[59]. Wenn der Held mehrere Aufgaben zu lösen hat, so gibt ihm das Märchen gerne für jede Aufgabe einen besonderen Helfer oder ein besonderes Wunschding. Umfassende Wunderdinge, die überhaupt alles Gewünschte herzaubern können, sind selten; der Held bekommt ein Tischleindeckdich, einen Goldesel, einen «Knüppel aus dem Sack», alles Dinge mit einer einzigen, ganz bestimmten Fähigkeit; empfängt er aber einmal doch ein umfassendes Zauberding, so nützt er es niemals voll aus[60]. Die Wunderdinge des Märchens sind nicht dazu da, um spielerisch verwendet zu werden, um dem Helden Spaß, Annehmlichkeit, Reichtum zu schenken, sondern sie sollen ganz bestimmte Handlungssituationen bewältigen. Oft werden sie dem Helden erst dann in die Hand gespielt, wenn er sie unmittelbar nötig hat. Oft schon lange vorher, aber auch dann benützt sie der Held nur ein einzigesmal oder dreimal: eben dann, wenn eine sonst unlösbare Aufgabe danach verlangt. Vorher und nachher bleibt das Wunderding unbenützt. Zuweilen hat der Held ganz vergessen, was er besitzt, und erst im Angesichte der dringenden Aufgabe kommt es ihm wieder in den Sinn. Nach deren Lösung wird das wunderbare Hilfsmittel meistens nicht mehr erwähnt, es verschwindet aus der Erzählung. Es war nur Hilfsmittel, ohne Eigenwert und an sich ohne Interesse. Die Figuren des Märchens sind eben nicht nur ohne örtliche und personale, sie sind auch ohne dingliche Umwelt; die empfangenen Gaben sind ihnen nicht Alltagsbesitz; sie blitzen nur im Lichte der Handlung auf. Dann aber, wenn die Handlung es erfordert, an ganz bestimmten Wendepunkten, sind sie unfehlbar zur Stelle. Im Märchen «klappt» alles. Der Unheld schläft genau in dem Augenblick ein, wo die entscheidende Beobachtung zu machen wäre, der Held aber erwacht gerade zur rechten Zeit, um nichts zu früh und um nichts zu spät[61]. Er trifft genau an dem Tage in der Königsstadt ein, wo seine Braut nach langer Weigerung einem andern angetraut werden soll. Die erlösenden Brüder eilen erst dann zur Rettung der Schwester herbei, wenn die Flammen des Scheiterhaufens diese schon umzüngeln; denn genau in dem Augenblicke sind die sieben Jahre der Verzauberung abgelaufen, und die Brüder sind frei[62]. Überhaupt werden alle Fristen gerne voll ausgenützt oder knapp überschritten[63]. Der Junge, der die Fohlenherde hüten und rechtzeitig zurückbringen muß – sonst wird ihm der Kopf abgeschlagen und auf einen Zaunpfahl gesteckt: die extremen und kraß bildhaften Strafen entsprechen dem konturenscharfen und allen Nüancen feindlichen Stil des Märchens – läßt sich jedesmal so lange aufhalten, daß er erst mit dem Glockenschlag den Hof der Hexe wieder erreicht: «Als die Glocke acht schlug, war er im

Torweg, und die Flügel des Tores, welche die Alte zuwarf, hätten ihm beinahe die Fersen abgeschlagen. ‹Das war die höchste Zeit›, rief der Junge atemlos, und trat in das Haus hinein[58]...» Fügungen wie «Kaum hatte er ...», «Kaum waren sie ...» sind immer wiederkehrende Sprachgebärden des Märchens. Französisch heißt es: «Le géant ne tarda pas à paraître devant lui», «Sa femme venait de[64]...». Rätoromanisch: «Bagn tgi ...» (vgl. unten S. 48). Der wunderbare Läufer, der für den Helden das Wasser des Lebens holen geht, schläft auf dem Rückweg ein, und erst kurz vor dem Fristablauf erspäht ihn der andere Helfer des Helden, der Schütze, und weckt ihn, so daß er gerade noch zurechtkommt[65]. Aber nicht nur der Zeitpunkt wird mit der größten Präzision getroffen. Auch inhaltlich erfüllen oder verfehlen Held und Unheld, Nebenfiguren und Requisiten genau ihre bestimmte Aufgabe. Die Dinge und Situationen passen scharf aufeinander. «Alles paßte ihr wie für sie zugeschnitten» – die Hosen aus Marmor nämlich, das Hemd aus Tau, die Schuhe aus lauterem Gold, die eigentlich gar nicht für die Prinzessin gewoben und geschmiedet sind[47]. Der Jüngste zieht aus: «Er wanderte immerzu, ohne nach dem Weg zu fragen, und kam genau an die Stelle, wo vor Jahren seine Brüder gerastet hatten, und machte halt[66].» Der Kasten, der dem Helden in die Hände geraten soll, wird ihm für 500 Piaster angetragen – gerade soviel hat er sich erspart. Als er später seine Gattin in den Fluß wirft, haben soeben Fischer ihre Netze ausgeworfen und ziehen nun statt der Fische die Frau aus dem Wasser. Sogleich steht auch ein Türke da, dem die Heldin sein Pferd ablisten kann, nun reitet sie «Stunde um Stunde von Berg zu Berg», bis sie in der Nacht, «ohne es zu wissen», ausgerechnet in das ferne Reich ihres königlichen Vaters kommt. Dieser ist soeben gestorben, und da außer der verlorenen Tochter kein Leibeserbe vorhanden ist, beschließen die Minister, «in dieser schlimmen Nacht voll Schnee und Kälte, in der einer, der draußen liegt, umkommen müßte, den zum König zu machen, den man zuerst außerhalb des Tores der Hauptstadt findet». Dort ist die Prinzessin in ihren Fischerkleidern eben angekommen und wird nun unerkannt zum König erhöht. Nichts eigentlich Zauberisches ist in diesem albanischen Märchen[67]. Aber die abstrakte Stilisierung, das genaue Passen der einzelnen Situationen aufeinander ist genau so wunderhaft wie irgendwelche äußeren Zaubereien, ja es ist in Wahrheit viel wirklichkeitsferner als sie. Magisches Tun und magischer Glaube gehören zur Wirklichkeit des Menschen. Das Märchen aber zieht seine Linien in abstrakter Komposition.

Der abstrakte Stil[68] des Märchens wird vollendet durch eine Reihe weiterer Wesenszüge, von denen die meisten längst beobachtet und bekannt sind; sie sollen hier nur kurz gestreift werden.

Das Märchen arbeitet mit *starren Formeln.* Es liebt Einzahl, Zweizahl, Dreizahl, Siebenzahl und Zwölfzahl: Zahlen von fester Prägung und ursprünglich magischer Bedeutung und Kraft. Held und Heldin sind entweder allein oder letztes Glied einer Dreiheit (das jüngste von drei Geschwistern); seltener sind sie zu zweit (Zweibrüdermärchen). Diesseitige wie jenseitige Helfer und Gegner treten einzeln auf (auch als herausgehobene Spitze eines Volkes: König, Prinz) oder zu dritt, zu sieben, zu zwölf – das letzte aber nur dann, wenn ihre Zahl nicht zugleich episodenbildend wirkt. Denn in der Episodenbildung herrscht die *Dreizahl;* siebenfache oder zwölffache Reihung würde die Übersichtlichkeit und Formfestigkeit zerstören. Die Zahlen sieben, zwölf und hundert sind reine Stilformeln: sie verkörpern die Mehrzahl an sich, aber in formelhafter Starrheit. Zweizahl und Dreizahl dagegen sind zugleich Bauformeln[69]. Manche Märchen sind zweiteilig, die Rückgewinnung des verlorenen Gemahls bildet den zweiten Teil. Vor allem aber herrscht die Dreiheit: Drei Aufgaben werden nacheinander gelöst, dreimal greift ein Helfer ein, dreimal taucht ein Gegner auf. Da die Gaben an den Helden meist dazu bestimmt sind, je eine Episode zu entscheiden, nennt das Märchen mit Vorliebe drei Gaben, nicht sieben oder gar zwölf. – Diese Neigung zu *formelhaften Rundzahlen* trägt in hohem Maße dazu bei, dem Märchen ein starres Gesicht zu verleihen; es kennt nicht wie die Wirklichkeit die wechselnde Verschiedenheit, die Zufälligkeit der Zahl; es erstrebt die abstrakte Bestimmtheit. Das ist auch dann spürbar, wenn es ganze Sätze und lange Satzfolgen wörtlich wiederholt. Wenn dasselbe eintritt, so ist es sinnvoll, es auch mit denselben Worten zu sagen. Variierende Abwechslung wird von manchen Erzählern gemieden – nicht aus Unvermögen, sondern aus Stilzwang. Die harte, strenge *Wiederholung* ist, wo sie vorkommt, ein Element des abstrakten Stils (vgl. unten S. 45–49). Ihre Starrheit entspricht der der Metalle und Mineralien, die das Märchen erfüllen. Zugleich wirken die in gewissen Abständen wörtlich wiederholten Sätze gliedernd. Wie ein in bestimmtem Rhythmus wiederkehrendes Ornament klingen sie in den sich entsprechenden Teilen der Erzählung an genau gesetzter Stelle auf[70]. Ähnliches läßt sich von der Wiederkehr eines einzelnen Ausdrucks innerhalb einer Satzperiode sagen. Wenn innerhalb von elf Druckzeilen das Wort «bellissimo» viermal vorkommt (un bellissimo cavallo, un bellissimo prato, un bellissimo giardino, und noch einmal un bellissimo prato[71]), spüren wir eine gliedernde Wirkung, die bei der Wahl jeweils wechselnder individueller Adjektive nicht zustande käme. So ergibt sich beim Volksmärchen wie von selber jene Stilkonsequenz, welche die moderne Ästhetik vom echten Kunstwerk fordert: Die Eigenart der Gesamtkomposition spiegelt sich in den Kompositionsteilen, bis in die einzelne sprachliche Prägung hinein.

Formfestigend wirken auch die festgeprägten metrischen und gereimten *Sprüche* und die *formelhaften Anfänge* und *Schlußsätze* des Märchens. Die klare *Einsträngigkeit* der Handlung bedeutet entschlossenen Verzicht auf die unmittelbare Darstellung eines vielschichtigen Miteinander. Sie gibt nur die eine scharf sichtbare Linie. Notwendiges Korrelat der Einsträngigkeit ist die *Mehrgliedrigkeit* der Märchenhandlung. Die eingliedrige Sage gibt uns Raum, Tiefe, Schichtung, Atmosphäre. Die schlanke Linie der Märchenhandlung lebt von der Mehrzahl der Episoden. Jedes Ineinander und Miteinander wird gelöst, isoliert und durch Projektion auf die Handlungslinie zum Nacheinander[72]. So bilden Einsträngigkeit und Mehrgliedrigkeit Grundlage und Voraussetzung des abstrakten Stils.

Wenn die Königin jedes Jahr ein Kind zur Welt bringt, oder gar jedes Jahr zwei Knaben, alle von idealer Schönheit und goldgelockt, so gehört das ebenso zum abstrakten Stil des Märchens, wie wenn der Heldin bei jedem (!) Wort ein Goldstück oder ein Goldring aus dem Munde fällt, wenn dem Drachen jeden Tag oder jeden Monat ein Mensch geopfert werden muß, wenn bei jedem Tone der Zauberflöte ein einzelnes Erdmännchen erscheint. Die Gatten der Zarentochter sterben alle schon in der ersten Nacht[73]. Der Märchenkönig ist bereit, alle seine zwölf Söhne zu töten, wenn ihm eine einzige Tochter geschenkt wird; oder er sucht und findet in seinem Reiche «elf Mädchen, seiner Tochter von Angesicht, Gestalt und Wuchs völlig gleich[74]». Die Erlöserin ihrer Brüder bewahrt sieben Jahre lang ohne Fehl und Schwanken unverbrüchliches Schweigen (vgl. oben S. 16). Neunundneunzig Werber verlieren den Kopf, der hundertste löst die Aufgabe und gewinnt die Prinzessin. Ein Haus im Walde ist aus lauter Lebkuchen oder aus lauter Menschengebeinen gebaut. Alles dies ist abstrakte Zeichnung, fern von jeder konkreten Wirklichkeit.

Das Märchen liebt alles *Extreme*, im besonderen extreme Kontraste. Seine Figuren sind vollkommen schön und gut oder vollkommen häßlich und böse; sie sind entweder arm oder reich, verwöhnt oder verschupft, sehr fleißig oder sehr faul. Der Held ist ein Prinz oder ein Bauernjunge, er ist ein Grindkopf oder ein Goldener (oft in scharfem Wechsel beides nacheinander); Prinzessin und Bauerntölpel heiraten einander; das Pferd ist entweder golden oder räudig, die empfangene Gabe goldstrahlend oder ganz unscheinbar. Während die Unhelden mit Kleidern, Pferden und Kuchen prächtig ausgestattet werden, muß der Held mit Brotkrusten und lahmen Gäulen vorlieb nehmen – oder er selber erbittet sich gerade diese[75]. Pech und Gold ergießen sich über die Kontrastfiguren des Märchens, grausame Strafe und höchster Lohn stehen einander gegenüber. Held und Heldin sind meist das einzige Kind oder das jüngste von dreien; oft stehen sie als Dummling oder Aschenputtel da. Gerne erzählt das Märchen von kinderlosen Ehepaaren oder dann von solchen mit gar zu vielen Kindern. Die Eltern sterben und lassen ihre Kinder allein zurück. Held und Heldin sind jung, ihre Ratgeber aber alte Männer und Frauen. Einsiedler, Bettler, Einäugige treten auf. Neben dem reichen Pelz steht das schäbige Gewand oder die bare Nacktheit. Der Held kann bärenstark sein, die Heldin aber ist hilflos einem Ungeheuer preisgegeben. Die Jenseitigen zeigen sich als Riesen oder als Zwerge. Extreme Verbrechen, Brudermord, Kindermord, häßliche Verleumdung sind im Märchen an der Tagesordnung, ebenso wie grausame Strafmethoden. Die vielen *Verbote* und scharfen *Bedingungen* tragen nicht wenig zur Ausprägung des präzisen Stiles bei.

Inbegriff alles Extremen, letzte Spitze des abstrakten Stils ist das *Wunder*. Wenn Bäuerin, Magd und Stute von dem redenden Fisch essen, so gebären sie schon in der nächsten Nacht je einen Sohn[76]. Die Zaubersalbe macht den Geblendeten sogleich sehend, den Toten lebendig[77]. Kranke werden durch Zerstückelung und Neuzusammensetzung wieder heil[78]. Schlagartige Verwandlungen blenden das Auge. «Während er schlief, sprang die Rose von seinem Hut herab, wurde zu einem schönen Mädchen, die setzte sich an den Tisch und aß alles auf, was aufgetragen war[79]». Der Tierbräutigam braucht nur das Igelfell abzustreifen, und schon ist er ein schöner Jüngling[80]. «Als die Prinzessin so dalag, stachen sie ihr eine Nadel in das rechte Ohr, und sogleich wurde sie zu einem Vogel und flog davon[81].» Die beiden Zustände brauchen keine innere Beziehung zu haben. Die böse Königin verwandelt ihre drei Stiefsöhne zuerst in drei Messingleuchter, dann in drei Rasenstücke, schließlich in drei Wölfe[82]. Ein Fuchs verzaubert sich in ein schönes Geschäft[83], ein Drache verwandelt sich in einen Eber, der Eber in einen Hasen, der Hase in eine Taube[84]; eine Hexe wird zu einem Bett oder zu einer Quelle[85]; eine Prinzessin zu einer Zitrone oder zu einem Fisch, dann zu einem Silberklumpen, schließlich zu einer schönen Linde[86]. Die Binse wird zum Silberkleid oder zum falben Roß[87]. Ein großes Schloß kann in ein Ei verwandelt und nach Belieben wieder zum Schloß zurückverwandelt werden[85]. In einem litauischen Märchen spricht der Wolf zum Dummling: «Schlachte mich! Dann wird sich mein Leib in einen Kahn, meine Zunge in ein Ruder, meine Eingeweide werden sich in drei Kleider, drei Paar Schuhe und drei Ringe verwandeln.» Später, als der Dummling alle diese Dinge benützt hat, wird der Wolf wieder lebendig und trägt ihn und seine Prinzessin an ihr Ziel[88]. Nichts ist dem Märchen zu kraß und zu fern. Je mechanistischer, je extremer die Verwandlung, desto sauberer und präziser steht sie vor uns.

Die abstrakte Stilisierung gibt dem Märchen Helligkeit und Bestimmtheit. Sie ist nicht Armut oder Nichtkönnen, sondern hohe Formkraft. Mit wunderbarer Konsequenz durchdringt sie alle Elemente des Märchens, verleiht ihnen festen Umriß und sublime Leichtigkeit. Sie ist fern von toter Starrheit, denn zu ihr gehört das rasche und entschiedene Fortschreiten der Handlung. Der Held ist ein Wandernder, spielend bewegt er sich über weite Flächen, oft von fliegenden Pferden, Wagen, Mänteln, Zauberschuhen mit Windeseile dahingetragen; aber die Bewegung ist keine willkürliche, ihre Form und ihre Richtung, ihre Gesetze sind scharf bestimmt. Der Figurenstil schenkt dem Märchen Festigkeit und Gestalt; das epische Vorwärtsstreben bewegt und beschwingt es. Feste Form und spielende Eleganz fügen sich zur Einheit. Rein und klar, mit freudiger, leichter Beweglichkeit erfüllt das Märchen strengste Gesetze.

ISOLATION UND ALLVERBUNDENHEIT

Die Eindimensionalität des Märchens, seine erstaunliche Unempfindlichkeit für den Abstand zwischen diesseitiger und jenseitiger Welt, entspricht der Flächenhaftigkeit seiner Darstellung überhaupt. Diese Flächenhaftigkeit selber ist nur eine Seite des abstrakten, figuralen Stils. Das beherrschende Merkmal aber des abstrakten Märchenstils ist die *Isolierung*.

Schon das Fehlen des numinosen Staunens, das Fehlen der Neugierde, der Sehnsucht, der Angst im Verkehr mit Jenseitswesen zeigt die Beziehungsisoliertheit der Märchenfiguren. Isolierte Diesseitige und isolierte Jenseitige begegnen sich, verbinden sich, trennen sich; es besteht keine dauernde Beziehungsspannung zwischen ihnen. Sie berühren sich nur als Handelnde; kein wesenhaftes und deshalb dauerndes Interesse vereinigt sie.

Flächenhafte Darstellung bedeutet isolierende Darstellung. Alle Plastik gibt ein nicht mit einem Blick zu übersehendes Zusammen. Die Fläche ist abgelöst, in sich selber isoliert. Die Märchenfigur hat keine Innenwelt, keine Umwelt, keine Beziehung zu Vorwelt oder Nachwelt, keine Beziehung zur Zeit.

Die scharfe, niemals verschwimmende oder verfließende Kontur trennt Dinge und Gestalten. Die krassen Farben, der metallische Glanz lassen einzelne Dinge, Tiere, Personen besonders hervorstechen. Die metallische oder mineralische Beschaffenheit verleiht unveränderliche Festigkeit. Nicht aus Fleisch und Blut bestehen die Märchenfiguren, nicht aus weichem, anpassungsfähigem, beziehungssuchendem Stoff, sondern aus festem, starrem, isolierendem.

Vollends deutlich wird die Herrschaft der Isolation im Märchen, wenn wir auf die einzelnen Züge seines abstrakten Stiles achten. Es liebt das Seltene, Kostbare, Extreme: das heißt das Isolierte. Gold und Silber, Diamant und Perle, Samt und Seide, aber auch das einzige Kind, der jüngste Sohn, die Stieftochter oder Waise sind Ausprägungen der Isolation. Ebenso der König, der Arme, der Dummling; die alte Hexe und die schöne Prinzessin; der Grindkopf und der Goldener, Aschenputtel, Allerleirauh, die nackte Verstoßene, die Tänzerin im strahlenden Kleid. Die Handlungsträger des Märchens stehen in keiner lebendigen Beziehung zu Familie, Volk oder irgendeiner anderen Art von Gemeinschaft. Zwischen Kindern, Geschwistern und Eltern bestehen nur Handlungs- oder Kontrastbeziehungen. Ferner neigen die Märchenfiguren dazu, sich auch äußerlich zu isolieren: Die Eltern sterben und lassen die Kinder allein; oder sie sind arm, setzen sie im Walde aus oder verschreiben sie dem Teufel; die drei Brüder wandern jeder einzeln in die Fremde; die zwei Brüder trennen sich und ziehen in verschiedenen Richtungen von dannen. So lösen sich die Gestalten des Märchens von den vertrauten Menschen und zugleich von den vertrauten Örtlichkeiten; sie gehen als Isolierte in die weite Welt (vgl. oben S. 17ff.).

Auch die Darstellung der *Handlung* ist isolierend. Sie gibt nur die reinen Akte, verzichtet auf jede ausmalende Schilderung. Sie gibt die Handlungslinie; den Handlungsraum läßt sie uns nicht erleben. Wälder, Quellen, Schlösser, Hütten, Eltern, Kinder, Geschwister werden nur erwähnt, wenn sie die Handlung bedingen; sie wirken nicht milieubildend.

Diese schlank gezogene Handlungslinie zerfällt ihrerseits in einzelne Teilstrecken, die sich scharf voneinander abheben. Die *Episoden sind in sich verkapselt.* Die einzelnen Elemente brauchen nicht aufeinander Bezug zu nehmen. Die Figuren des Märchens lernen nichts, sie machen keine Erfahrungen. Sie achten nicht auf die Ähnlichkeit der Situationen, sondern handeln immer wieder neu aus der Isolation heraus. Es ist dies eine der auffallendsten und für den modernen Leser anstößigsten Eigenheiten des Märchens. Wenn es gelingt, sie scharf zu erfassen und richtig zu deuten, muß es uns der Lösung des Rätsels Märchen um ein wesentliches Stück näherführen.

In dem Aargauer Märchen vom Vogel Gryf[89] zieht der älteste von drei Brüdern aus, um der kranken Königstochter heilende Äpfel zu bringen. Unterwegs fragt ihn «es chlis isigs Mannli» nach dem Inhalt seines Korbes. Er antwortet: «Fröschebei»; das Graumännchen darauf: «No, es soll si und blibe.» Und der Bursche muß erleben, daß nun in seinem Korbe tatsächlich statt der Äpfel Froschschenkel sind. Aber er macht diese Entdeckung erst, als er vor dem König steht und den Deckel hebt; vorher hat er nicht hineingeguckt, hat nichts nachgeprüft: schon das eine Auswirkung der isolierenden Technik des Märchens. Darauf geht er heim und erzählt, wie es ihm ergangen ist. Dem zweiten Sohne aber ist das keine Lehre. Er macht sich auch auf den Weg, trifft genau dasselbe Graumännchen und gibt ihm eine ebenso lügenhafte Auskunft wie sein Bruder; nicht aus Trotz, sondern einfach, weil er seine Situation zu der des Bruders nicht in Beziehung setzt. Wenn der jüngste Sohn, der Dummling, dann anders reagiert und wahrheitsgemäß antwortet, so geschieht dies nicht, weil er aus dem Schicksal der älteren Brüder seine Folgerungen gezogen hätte, sondern nur, weil er seiner Rolle gemäß eben anders reagieren muß. Aber nicht nur voneinander lernen die Figuren des Märchens nichts: Sie richten sich auch nicht nach den eigenen «Erfahrungen». Im selben Vogel-Gryf-Märchen ziehen später alle drei Brüder noch einmal aus, um eine weitere Aufgabe zu lösen. Als aber wieder «es chlis isigs Mannli» kommt und sie nach ihrem Tun fragt, lügen die beiden älteren es unbekümmert und ohne nachzudenken wieder an – sie handeln isoliert, ziehen die frühere Situation nicht in Betracht. Im zweiten Teil des Märchens trifft der Held wiederum ein krankes Mädchen; es fällt ihm aber nicht von ferne ein, nun seine Heiläpfel noch einmal auszuprobieren; er läßt sich vielmehr den Auftrag geben, den Vogel Gryf nach dem Heilmittel zu fragen. Auch das Märchen selber hat kein Bedürfnis, an die erste Heilung zu erinnern – es ist eine neue Episode, die Geschehnisse der früheren haben keinen fortwirkenden Einfluß. Das Graumännchen tritt im zweiten Teil des Märchens nicht mehr auf, und nie denkt der Held daran, sich nach seiner Hilfe umzusehen, noch der Märchenerzähler, sein Verschwinden irgendwie zu erklären. Nur willkürliche Erzähler, denen der Sinn für die Folgerichtigkeit und innere Notwendigkeit des isolierenden Märchenstils fehlt, glauben ihren Hörern oder Lesern in solchen Fällen eine Erklärung schuldig zu sein: «Kurbads blieb also in der Unterwelt. Nichts zu machen, er mußte seine Keule zur Hand nehmen, sein Schwert umgürten und auf einen Ausweg sinnen. Hätte er sich wenigstens des Pfeifchens erinnert, das er von den Erdgeistern bekommen hatte, vielleicht hätten die ihm geholfen. Aber so geht es: Hat man seinen Verstand am nötigsten, so ist man wie vernagelt[79].» Ein solcher Erzähler mißachtet, was dem echten Märchen selbstverständlich ist: daß die Märchenfiguren nicht notwendig an einen früheren Helfer oder an eine früher empfangene oder sogar schon verwendete Zaubergabe denken müssen. Denn Held, Helfer, Zauberding, alle sind isoliert und *können* sich zwar jederzeit miteinander verbinden, *müssen* es aber nicht. Der Dummling holt aus dem Zauberberg, zu dem er Zutritt gewonnen hat, alles, was ihm Gefahren bestehen und Aufgaben lösen hilft: Schwert und Pferde und kostbare Gewänder[80]. Sobald aber die letzte Probe bestanden und die Prinzessin erobert ist, wird der Zauberberg überhaupt nicht mehr erwähnt. Die Braut muß jetzt ihren schäbig gekleideten Bauernburschen sorgfältig ausstaffieren lassen; der Zauberberg, aus dem sich der Held mit Leichtigkeit selber die herrlichsten Gold- und Silberkleider holen könnte, existiert eben in diesem Zeitpunkt für das Märchen nicht mehr; seine Bestimmung war, Hilfen zum Bestehen der Abenteuer zu liefern. Sobald die Schwierigkeiten überwunden sind, hat er diese Funktion verloren, und das Märchen gibt ihm keine andere; es ist ihm selbstverständlich, daß von ihm nicht mehr geredet wird. Im Vogel-Gryf-Märchen hat das über Wasser und Land fahrende Eilschiff seine Rolle ausgespielt, sobald es hergestellt und in die Hände des auftraggebenden Königs geliefert ist. Denn es war Gegenstand der unlösbaren Aufgabe, und darin erschöpft sich seine Funktion; uns nun etwa zu erzählen, was der König damit anstellt, wie und wozu er es benützt, fällt dem Märchen nicht ein. Sein isolierender Stil verbietet es ihm.

Im Grimmschen Aschenputtelmärchen kann die Stiefmutter nicht verstehen, wie das Mädchen die Linsen das erstemal so schnell aus der Asche lesen konnte. Trotzdem denkt sie nicht daran, es beim zweiten Male zu beobachten. Sie stellt auch keine Fragen; selbst dann nicht, als es Aschenputtel gelingt, die doppelte Menge Linsen aus der Asche zu lesen (vgl. dazu Anm. 235). Goldmarie erzählt getreulich, was ihr im Reiche der Frau Holle alles begegnet ist; aber Pechmarie beachtet nur gerade für die Anknüpfung der Verbindung das «Vorbild»: Sie läßt ihre Spule ebenfalls in den Brunnen fallen und springt dann hinein. Sie weiß also, daß es auf exakte Formerfüllung ankommt; sie springt erst in den Brunnen, nachdem sie die Spule hineingeworfen hat. Nachher aber verhält sie sich bei jeder Situation anders als ihre Schwester, wie wenn sie nichts von deren Ergehen vernommen hätte. Die beiden Brüder, die nacheinander jenen goldenen Apfelbaum beobachten gehen, «der jede Nacht erblühte und reife Früchte brachte», schlafen beide im entscheidenden Augenblick, «als die Äpfel gerade am Reifen waren», ein und sehen deshalb nicht, wer die Äpfel pflückt. Auch sie berichten zu Hause, wie es ihnen ergangen ist. Der Jüngste aber, der in der dritten Nacht an die Reihe kommt, trifft gar keine Vorkehrungen, um das Einschlafen zu verhindern. Im Gegenteil: «Er machte sich fertig, trug sein Bett unter den Baum und legte sich schlafen. Gegen Mitternacht erwachte er und warf einen Blick auf den Baum, die Äpfel waren gerade im Reifen, und der ganze Palast erglänzte von ihnen. In dem Augenblick kamen neun goldene Pfauhennen gezogen ...[91]» Es ist, als ob ein unsichtbarer Kontakt den Helden genau in dem Augenblick weckte, in dem in den vorhergehenden Nächten seine Brüder einschlafen mußten; nicht, weil diese schlecht sind und jener gut – es fehlt jeder moralische Ausweis –, sondern einzig und allein, weil er der Held ist, der Jüngste, der Isolierte, sie aber die Unhelden. Wenn die Prinzessin oder ihr königlicher Vater einen Bewerber loswerden wollen, dann stellen sie ihm eine Aufgabe, deren Lösung unmöglich scheint; oder sie schicken ihn in die Hölle oder in den Krieg, wo er den Tod finden soll. Wenn der Held die Aufgabe doch löst und nicht umkommt, so fordert der Auftraggeber einfach etwas Neues von ihm – ohne daß er ihm zu erklären braucht, wieso nun auf einmal die erste Leistung nicht genügen soll. Eine junge Hexe sagt zum Königssohn: «Ich will das Geschirr und die Reste unserer Mahlzeit abtragen, und dann wollen wir Hochzeitsschuhe besorgen gehen. Wir gehen jeder einen anderen Weg, die Schuhe zu suchen: Habe ich die hübscheren, so mußt du in meinem Lande wohnen bleiben; hast du die hübscheren, so folge ich dir in dein Land.» Der Prinz trägt dank der Hilfe eines Ratgebers den Sieg davon. Aber die Konsequenzen werden nicht gezogen; am nächsten Tage nach dem Mittagessen spricht die Braut, als ob nichts entschieden wäre: «Ich werde das Geschirr und die Mahlzeit abtragen, und dann wollen wir ein Hochzeitskleid besorgen gehen. Wir gehen jeder seinen Weg: Wenn mein Kleid schöner sein sollte, so mußt du in meinem Lande wohnen bleiben. Ist das deinige schöner, so werde ich dir in dein Land folgen.» Wieder bringt der Prinz das schönere Kleid. Das hindert die Hexe nicht, am nächsten Tage nach dem Mittagessen ohne die leiseste Begründung von vorn anzufangen: «Ich werde das Geschirr und die Reste der Mahlzeit abtragen, und dann wollen wir für die Hochzeit silbernes Haar besorgen gehen. Wir gehen jeder seinen Weg. Wenn ich mehr silberne Haare haben sollte als du, so mußt du in meinem Lande wohnen bleiben. Hast du mehr, so werde ich dir in dein Land folgen[92].» Die Sprecherin hat es nicht nötig, in Formulierung und Inhalt an das früher Geschehene anzuknüpfen; sie sagt nicht: das ist noch nicht genug – sondern setzt voraussetzunglos neu ein. In einer realistischen, psychologisierenden Erzählung wäre das ein Mangel. Innerhalb des Märchens ist es reinste Konsequenz des abstrakt-isolierenden Stiles.

Wenn der Märchenheld von einem Tier eine Gabe erhält, so folgert er nicht, daß dies also wohl auch bei anderen Tieren möglich sei, sondern er stellt trotz aller gegenteiligen Erfahrung jedesmal stereotyp dieselbe ungläubige Frage: «Du bist eine Ameise, was kannst du mir Gutes tun?» «Du bist ein Vogel, was kannst du mir Gutes tun?» «Du bist ein Fisch, was kannst du mir Gutes tun?[104]» Der Grindkopf, der scheinbar das Haus nicht verlassen hat, überreicht doch seinem ältesten Bruder den Apfel der Zarentochter. Als er aber in der nächsten Szene auch den zweiten Bruder fragt: «Bruder, möchtest du, daß ich dir etwas gebe, was ich gefunden habe?» antwortet dieser genau wie der erste: «Du Grindkopf, kannst du etwas hier gefunden haben, in der Asche?[94]» Dem Dummling, der um die Zarentochter wirbt, haben sich unterwegs genau die Helfer beigesellt, die zur Bewältigung der vom

Zaren gestellten Aufgabe befähigt sind: ein wunderbarer Esser, ein wunderbarer Säufer, ein Säer von Soldaten. Obschon er die Eigenschaften dieser Kameraden kennt, beginnt der Held jedesmal, wenn eine neue Aufgabe gestellt wird, zu weinen: «Was soll ich jetzt tun? Ich kann nicht ein einziges Brot aufessen!» oder: «Was in aller Welt soll ich nun tun? Woher soll ich die Soldaten herbeischaffen![95]» Der Trunk, den die Hexe dem Jungen zum Fohlenhüten mitgibt, schläfert ihn ein und verunmöglicht beinahe die Lösung der Aufgabe; trotzdem trinkt der Held auch das zweite- und drittemal unbekümmert die Flasche aus, nicht gierig, sondern ganz gemütlich, weil er den Bezug zur früheren Episode trotz der Gleichheit der Umstände nicht herstellt[58]. Die Kaiserstochter, die nur den heiraten will, der ihre drei Malzeichen errät: den Stern auf der Stirn, die Sonne am Busen und den Mond am Knie[43], läßt die Kunde von dieser Bedingung «in der ganzen Welt» verbreiten. Als aber der Schweinehalterbub, dessen drei Ferkel sie haben möchte, beim ersten von ihr verlangt, daß sie den Schleier vom Gesicht lüfte, beim zweiten, daß sie ihn ihren Busen sehen lasse und beim dritten, daß sie sich bis zum Knie aufdecke, «damit er ihr Knie sehe», tut sie es jedesmal «sogleich» und nimmt dann «hocherfreut» das Ferkelchen in Empfang. Es wäre völlig fehlgedeutet, wollte man geltend machen, ihre Gier nach dem Ferkel raube ihr die Besonnenheit und lasse sie alle Rücksichten vergessen. Von einer derartigen seelischen Erregung ist hier nichts zu spüren, so wenig wie sonstwo im echten Volksmärchen. Sondern die Prinzessin handelt innerhalb der einzelnen Episoden völlig folgerichtig und besonnen – aber freilich nur innerhalb der einzelnen Episoden. Wenn es darum geht, ein Ferkel zu erlangen, so liegt das Blendlicht der Erzählung nur auf diesem Vorgang; alles andere ruht unbeleuchtet im Dunkel. Es *kann*, aber es *muß* nicht ins Licht gezogen werden. Der Schweinejunge, dem es nicht um den Verkauf des Ferkels geht, sondern um die Erwerbung der Prinzessin, denkt an die gestellten Bedingungen. Sie selber aber sieht nicht, daß die unumwunden und in genauester Spezialisierung ausgesprochenen Wünsche des Schweinehüters gerade nach den drei Punkten ihrer Werbungsprobe zielen. Und dem Märchen ist ihr Verhalten keineswegs merkwürdig. Es hat nicht nötig, ihre «Verblendung» zu rechtfertigen oder zu erklären; denn es handelt sich gar nicht um psychische Verblendung, sondern um die dem Märchen selbstverständliche Abblendung, um die Isolierung der Situation und des Verhaltens. Deshalb bemüht sich auch der Junge nicht, seine Absicht zu verhüllen, eine möglichst unbestimmte, unverfängliche oder ablenkende Formulierung zu suchen. Er darf ruhig dem Gesetz des Märchens gehorchen, er darf die Dinge mit nackter Eindeutigkeit beim Namen nennen, ohne besorgen zu müssen, daß die Prinzessin die Zusammenhänge erkennt – er denkt überhaupt nicht an eine solche Möglichkeit; vielmehr geht auch er isoliert auf sein Ziel los, ohne an Mißerfolg, Gefahr, Versagen zu denken, ohne also die plastische Fülle der verschiedenen Möglichkeiten zu spüren, die sich jedem wirklichen Menschen und jeder Gestalt einer realistischen Erzählung ohne weiteres auftun müßten. Das Märchen isoliert die Menschen, die Dinge, die Episoden, und jede Figur ist sich selber ebenso fremd, wie es die einzelnen Figuren einander sind; was die Prinzessin zu anderer Zeit, in anderem Zusammenhange getan oder erstrebt hat, braucht in keiner Weise hineinzuspielen in das, was sie jetzt tut und erstrebt. Die einzelnen Taten oder Schicksale ein und derselben Figur lösen sich sauber voneinander. So wie das Märchen seine Menschen, kranke Prinzessinnen etwa, körperlich in einzelne Stücke zerschneiden und nachher scharf und untadelig wieder zusammensetzen kann, so vermag es sie auch geistig zu zerschneiden und wieder zusammenzufügen. Die Einheit der handelnden Figur wird zerspalten, jede einzelne Szene braucht nur eine einzige ihrer Komponenten zu kennen und wirken zu lassen, und zum Schluß bilden doch alle zusammen nur ein einziges Ganzes.

Der isolierende Stil erklärt auch, wieso der Verlust eines Gliedes vom Märchen schon im nächsten Augenblick nicht mehr beachtet zu werden braucht (vgl. oben S. 14f.). In mehreren russischen Varianten des Brünhild-Märchens werden dem Helfer des Freiers die Füße oder gar die Beine bis zum Knie abgeschlagen; er aber packt sie zusammen und wandert fort[96]. Der Vogel Gryf ist «allwissend» und kennt die Lösung jedes Rätsels – aber daß unter seinem Bette ein Lauscher liegt, daß dieser ihm dreimal hintereinander eine Feder ausreißt, merkt er nicht[97]. Die zauberkundige Braut hilft zwar dem Helden, scheint aber da, wo ihr die Zauberkunst selber nötig wäre, plötzlich nichts mehr von ihr zu wissen[98]. Das Lebenswasser wird im selben Märchen das einemal angewendet, das anderemal, wo es ebenso dringend wäre, ist von ihm nicht mehr die Rede[99]. Der Gatte oder Bruder, dessen Frau oder Schwester verleumdet wird, denkt nicht daran, diese selber zu den Vorwürfen Stellung nehmen zu lassen. Ungefragt schickt er sie in den Tod oder in die Verbannung[100]. Den aus dem Gänseei ausgekrochenen «Wechselbalg» stellt das schwanknahe norwegische Märchen «Murmel Gänseei»[101] als einen Menschen von unermeßlicher Kraft, aber von durchaus normaler Gestalt dar; trotzdem hebt er Steine auf, «die waren so groß, daß viele Pferde sie nicht hätten schleppen können, und alle miteinander, ob groß oder klein, steckte er in seine Tasche». Der lothringische Bärensohn ist bei seiner Geburt «moitié ours et moitié homme»; diese seltsame Zusammensetzung wird aber im weiteren Verlauf der Erzählung nie mehr irgendwie berücksichtigt[42].

Der Held erhält zur Überwindung des einen Hindernisses eine Gabe, das andere überwindet er ohne jede Gabe selber, als ob dies selbstverständlich wäre[102]. Bestimmte Fähigkeiten werden den Märchenhelden umständlich von jenseitigen Gebern verliehen; andere ebenso erstaunliche Fähigkeiten besitzen dieselben Märchenhelden einfach, ohne daß es irgendwie erklärt wird. Gewisse Dinge erfahren sie von unbekannten Ratgebern, andere ebenso geheime Dinge wissen sie selber, kein Mensch sagt uns wieso. Aber auch von den jenseitigen Helfern wird uns nicht gesagt, warum sie immer genau das können oder wissen, was der Held nötig hat (vgl. oben S. 30f.). Sie werden in kein System eingeordnet, ihre Macht wird nicht von höheren Wesen, etwa von Gott oder dem Teufel, abgeleitet. Isoliert tauchen sie auf, isoliert handeln sie, ohne daß Grund und Art ihres Seins uns enthüllt wird. Sie treten meist einzeln auf und haben nur eine einzige Aufgabe: dem Helden weiterzuhelfen oder ihm Schwierigkeiten zu bereiten. Nachher treten sie ins Nichts zurück. Von den Verwünschten, mit denen der Held zu tun hat, wird uns meist nicht gesagt, wieso und von wem sie verzaubert worden sind. Wichtig ist nur, daß sie jetzt verzaubert sind, daß sie deshalb Helfer oder Schädiger des Helden sein können und daß er sie erlösen kann. Die nach rückwärts laufenden Fäden brauchen vom Märchen nicht beleuchtet zu werden. Die Gestalt der Verwunschenen hat oft mit deren Wesen nichts zu tun: Ein Prinz kann in einen Eisenofen verwandelt sein[102]. Die Gaben der Jenseitigen brauchen keine spezifische Beziehung zu den Gebern zu haben: Ein Stern kann Speck spenden, ein Adler Holzpantoffeln[103]. Jedes Element ist in sich selber isoliert.

Neben umfassende Wunschdinge, die eigentlich alle andern überflüssig machen, stellt das Märchen unbekümmert spezielle, die nur für bestimmte Situationen gebraucht werden (vgl. oben S. 31). Von den beiden Gefährten des Helden weiß der eine «alles, was es auf der Welt gibt»; als der Held aber umkommt, da verlautet von dieser Fähigkeit nichts, sondern ein blutendes Haar meldet den beiden andern das Unglück; auch die Art des Todes muß von ihnen erschlossen werden[104]. Der Märchenheld, der sich in einer ähnlich schwierigen Lage sieht wie schon einmal, denkt nicht an seine früheren Helfer, sondern ist ebenso ratlos, ebenso «bekümmert» oder so unbekümmert wie das erstemal. Und tatsächlich hilft ihm bald derselbe Helfer wie vorher, bald aber ein ganz anderer.

Besonders deutlich äußert sich die isolierende Tendenz des Märchenstils in den Fragen an durchschaute Bösewichter. Der alte König in dem Grimmschen Märchen von der Gänsemagd stellt dem ungetreuen Kammermädchen, das seine Herrin zur Magd, sich selber aber zur Gemahlin des Königssohnes gemacht hat, die Frage, was mit einer solchen geschehen solle, die so und so gehandelt habe – und er erzählt ihr den genauen Verlauf ihres speziellen Vergehens. Sie aber antwortet ohne Besinnen: «‹Die ist nichts Besseres wert, als daß sie splitternackt ausgezogen und in ein Faß gesteckt wird, das inwendig mit spitzen Nägeln beschlagen ist, und zwei weiße Pferde müssen vorgespannt werden, die sie Gasse auf, Gasse ab zu Tode schleifen.› ‹Das bist du›, sprach der alte König, ‹und hast dein eigen Urteil gefunden.›» Die Stiefmutter in dem Märchen «Die drei Männlein im Walde» wird gefragt: «Was gehört einem Menschen, der den andern aus dem Bett trägt und ins Wasser wirft?» Und auch sie spricht sich ein grausames Urteil – ohne stutzig zu werden, daß ja die Frage ihr eigenes Verbrechen in genauer Spezialisierung nennt. In jeder andern Erzählung als im Märchen müßte die Gefragte die Zusammenhänge sofort erkennen und ausweichen; im Märchen nicht. Man hat geglaubt, das Märchen stelle aus Unfähigkeit die Frage so speziell. «Die einfachen Leute, die das Märchen pflegen, haben wenig Erfahrung darin, dieselbe Sache mit andern Ausdrücken zu wiederholen oder einen Einzelfall einem bestimmten Schema unterzuordnen», deshalb seien sie nicht imstande, allgemeiner zu formulieren, etwa so: «Was verdient der, der einen andern getötet hat[105]?» Eine solche Erklärungsweise verkennt, daß innerhalb des Märchens die allgemeinere Formulierung nicht Gewinn wäre, sondern Verlust. Der ganze Reiz der Situation besteht ja darin, daß das böse Weib präzis seinen eigenen Fall beurteilen muß. Nur das Märchen kann es sich erlauben, die Frage genau so zu stellen, wie es dem Geschehen entspricht; denn ihm ist es natürlich, daß die Befragte die Frage isoliert auffaßt und nicht mit den früheren Episoden vergleicht. Nur das Gesamtgefüge des Märchens, nur sein alles durchdringender isolierender Stil macht dies möglich. Es ist nicht Ungeschick und Plumpheit, sondern hohe Formkultur, die dem Märchen diesen Effekt erlaubt.

Formbedürfnisse sind auch bei den *Wiederholungen* des Märchens im Spiel. Alle mündlich tradierte Dichtung liebt die Wiederholung: Sie gibt dem Sprecher ebenso wie dem Hörer Halt. Wenn bei Homer manche Formeln wörtlich gleich immer wiederkehren, so dient dies nicht nur der Bequemlichkeit des Rhapsoden, es deutet zugleich auf eine in allem Wechsel der Erscheinungen sich wahrende Beständigkeit. Homer schläft nicht. Die Wiederkehr des Gleichen verstärkt den Eindruck der Festigkeit und Verläßlichkeit, den der epische Stil überhaupt erweckt. Hinter dem Vergänglichen spürt der Hörer das Bleibende. Auch im Märchen kommt wörtliche Wiederholung selbst längerer Partien vor. In einer Ende der zwanziger Jahre in Schleswig-Holstein aufgezeichneten Fassung des Tierschwäger-Märchens gelangt der Königssohn auf der Suche nach seinen drei Schwestern vor ein Schloß; eine Dame sitzt vor der Tür und fragt ihn, wer er sei. «He is de Prinz von Sizilien, seggt he. Un se is de Prinzessin von Sizilien, seggt se, se hett awer keen' Broder hadd. Do wiest he er den Truring, un do nimmt se em mit rin na't Sloß un snackt mit em. As de Klock twölf is, seggt se, nu mutt he na de anner Stuv rin. ‹Min Mann is 'n Löv›, seggt se, ‹de kunn di wat don‹. Dunn kümmt de Löv ok al an. ‹Wenn min Broder hier so weer›, seggt se, ‹schußt du den wul wat don?› ‹Ne, wo is he?› ‹In de anner Stuv.› ‹Denn lat em mal herkamen. ›Un de Prinz kümmt rin, un se snackt tosamen. Klock een seggt de Löv: «Prinz von Sizilien, Sie müssen weichen oder ich zerreiße Sie!› He vill je weg, do seggt de Löv: ‹O, warten Sie noch ein wenig›, und he gifft em dree Haar ut sin' Nacken un seggt to em, wenn he mal in Not kümmt, denn schall he de Haar nehmen un schall segg'n: ‹Löwe über alle Löwen und König über alle Könige, komm und steh mir bei!› Denn is he bi em un helpt em. Denn mutt he je weg na de anner Stuv hen.» Gleiches Spiel bei der zweiten Schwester: «He is de Prinz von Sizilien, seggt he. Un se is de Prinzessin von Sizilien, seggt se, se hett awer keen' Broder hadd. Do *weist* he er den Truring, un do nimmt se em mit rin na'*n* Sloß un snackt mit em. As de Klock twölf is, seggt se, nu mutt he na de anner Stuv rin. ‹Min Mann is *de Vagel Greif*›, seggt se, ‹de kunn di wat don.› Dunn kümmt *he ok je* an. ‹Wenn min Broder hier weer›, seggt se, ‹*schuß de* den' wul wat don?› ‹Ne, wo is he?› ‹In de anner Stuv›. ‹Denn lat em man herkamen.› Un de Prinz kümmt rin, un se snackt tosam. Klock een seggt de Vagel Greif: ‹Prinz von Sizilien, Sie müssen weichen, oder ich *zerreiß* Sie!› He will je weg, do seggt de *Vagel Greif:* «O, warten Sie noch ein wenig», un he gifft em dree *Fellern* ut sin' Nacken un seggt to em, wenn he mal in Not *is*, denn schall he de *dree* Fellern nehmen un schall segg'n: ‹*Vogel Greif* über alle *Vögel Greife* und König über alle Könige, komm und steh mir bei!› Denn is he bi em un helpt em. Denn mutt he je weg na de anner Stuv hen[106].» Die wenigen Änderungen (hier kursiv gedruckt) sind teils inhaltlich bedingt, teils so geringfügig, daß sie den übermächtigen Drang zur wörtlichen Wiederholung, der dem unwillkürlichen Variationstrieb entgegensteht, nur noch unterstreichen. Genau gleich stehen die Dinge bei der dritten Episode, der Begegnung mit dem Walfisch-Schwager. Dreimal dieselbe Situation – schon an sich eine irreale Konstruktion – dreimal dieselben Worte. Nicht nur die direkten Reden sind formelhaft fest, auch der erzählende Zwischentext, der doch zu freierer Gestaltung einladen könnte, bindet sich streng an das einmal ausgesprochene Wort. Dies ist um so bemerkenswerter, als die literarischen Fassungen des gleichen Märchens keineswegs so verfahren. Basile (IV, 3) erzählt nur die erste Begegnung ausführlich, die beiden andern tut er unter Rückweis auf die erste mit wenigen Worten ab. Und Musäus erzählt zwar weitschweifig alles, variiert aber inhaltlich und in der Formulierung aufs üppigste[107]. Nun ist freilich zu sagen, daß auch manche Volkserzähler eine natürliche Freude an der Variation, der Umformulierung entwickeln. Wie schon inhaltlich im Märchen die Neigung zu wiederholen und die Neigung zu variieren sich miteinander messen (der Drachenkampf wird dreimal wiederholt, aber der erste Drache hat einen Kopf, der zweite hat drei Köpfe, der dritte sechs – oder ähnlich), so wirken auch in der Formulierung gegenläufige Strebungen. Zauberworte, deren magische Wirkung am Wortlaut hängt, kehren gerne in der gleichen Gestalt wieder. Daß dem Märchen als solchem etwas Zauberisches anhaftet, daß eine strenge Stilisierung ihm also angemessen ist, wird von manchen heutigen Erzählern kaum mehr empfunden. Die Lust zu fabulieren und die Worte anders zu setzen, kann dominieren; Frau Wilhelmine Schröder aus Majenfelde und Brackrade (Kreis Eutin), die 1928 im Alter von 73 Jahren die Geschichte von den Tierschwägern in der von uns charakterisierten Art erzählte, mag mit ihrer extremen Identität der Formulierungen zu den Ausnahmen gehören. Aber das Gefühl, daß jede Episode selbständig sein und nicht durch bloßen Verweis auf eine frühere abgekürzt werden sollte, ist lebendig geblieben. Besonders hübsch kommt es zum Ausdruck, wenn der Erzähler, «per farvela più breve, capite» zwar auf das früher Berichtete verweist, aber dann doch, wenn auch in abgewandelter Form, alles noch einmal erzählt[108]. In von Musäus abhängigen Volkserzählungen kann man erkennen, daß die volkstümliche Fassung ganz von selber wieder einer einheitlichen Stilisierung zustrebt. Plasch Spinas, ein an sich der Variation nicht abgeneigter rätoromanischer Erzähler, von Beruf Schuhmacher und Küster, erzählte 1937 als Sechsundsechzigjähriger «Reinold la marveglia». Die Namen und der Verlauf weisen deutlich auf Musäus. Im Gegensatz zu diesem jedoch gibt Spinas den drei entscheidenden Episoden einen stark der Gleichheit sich nähernden Wortlaut. Die direkten Reden entsprechen einander (Musäus wählte in der ersten Episode die indirekte Rede und variierte auch sonst): «Meine liebe Schwester Adelheid, wenn du da drin bist, so komm heraus, denn da ist dein Bruder Reinhold das Wunder, der dich suchen geht.» Da trat eine Frau aus der Höhle heraus und sagte: «Was, du mein Bruder, der Sohn des Grafen so und so?» «Ja», sagte er. «Dann flieh um Gottes willen, denn wenn mein Mann kommt – heute abend ist er noch Bär – dann frißt er dich auf. Wenn du morgen gekommen wärst, dann wäre er Mann gewesen.» Er sagte: «Ja, wohin soll ich denn fliehen, ich weiß weder wo ein noch wo aus ...» (u. s. f.). In der folgenden Episode heißt es dann: «Meine liebe Schwester Luise, wenn du da oben bist, so komm herab, denn da ist dein Bruder Reinhold das Wunder, der dich suchen geht.» Da erschien eine Frau am Rand des Nestes, schaute herab und sagte: «Was, du mein Bruder, Sohn des Grafen so und so? Dann flieh um Gottes willen, denn heute abend ist mein Mann noch Adler – wenn du morgen gekommen wärest, dann wäre er Mann gewesen – und wenn er dich erwischt, so hackt er dir die Augen aus.» «Ja, wohin soll ich denn fliehen, ich bin hier ganz verloren in diesem Wald und weiß nicht wo ein noch aus» ... (u.s.f.). Entsprechend in der dritten Episode, die bei Musäus wiederum eine abweichende Gestaltung aufwies. Aber nicht nur die direkten Reden, auch der Bericht tendiert zu wörtlicher Wiederholung: «Kaum ist er weggegangen, so kommt der Bär (Bagn tgi lè sto davent reivigl igl urs) ...» «Kaum ist er weggegangen, so kommt der Adler herbei (Bagn tg'el è sto davent, reiva notiers l'evla) ...» «Kaum ist er weggegangen, so kommt der Fisch (Bagn tg'el è sto davent, reival igl pesch) ...»[109]

Die starre, wörtliche Wiederholung ist ein Element des abstrakten Stils (s. oben S. 33). Der Isolationstendenz aber scheint sie beim ersten Zusehen zu widersprechen. Wie könnten die Sätze früherer Episoden in den späteren wörtlich gleich wiederkehren, wenn jede Episode wirklich isoliert, ohne Bezug zur andern wäre? Hier erweist es sich, daß wir zwischen äußerer und innerer Isolation zu unterscheiden haben. Ein und derselbe Formwille durchdringt das ganze Märchen. Alle Episoden fließen aus ihm; er bildet immer wieder dieselben Figuren, so daß sie alle einander gleichen, ohne doch voneinander abhängig zu sein. Aber äußerlich, für das Auge und das Ohr, ist jeder Teil des Märchens in sich verkapselt und besitzt Selbständigkeit. Eben deshalb – und nur deshalb – darf das Märchen sich erlauben, zwei- und dreimal inhaltlich gleiche Situationen zu erzählen und sie mit genau denselben Worten zu berichten. Wären die einzelnen Episoden nicht in sich selber geschlossen, gleichsam nach außen abgedichtet, so müßte die alte Stelle ergänzend erinnert werden und entweder zur Kürzung oder zur Variation führen. Leichte Variationen kommen häufig vor, bei gewandten Erzählern, die ihren reichen Wortschatz gerne zur Geltung bringen, sind sie geradezu beliebt. Aber auch die variierte Episode steht auf sich selber. Der innere Widerstand gegen Kürzung ist auch heute noch lebendig (vgl. oben S. 47). Wendungen wie: «Alles geschah wie das erstemal» tun dem echten Märchenerzähler nicht Genüge. Es gilt, das *Bild* vor unser Auge zu zaubern, sei es dasselbe Bild wie in der früheren Episode oder ein ähnliches. Kein Rückweis vermag solches, sondern nur eine volle Ausformung, sei es die genaue Wiederholung des vollständigen Wortlauts, sei es eine variierende Darstellung mit neuen Wörtern und in anders gefügten Sätzen.

Sichtbare Isolation, unsichtbare *Allverbundenheit*, dies darf als Grundmerkmal der Märchenform bezeichnet werden. Isolierte Figuren fügen sich, unsichtbar gelenkt, zu harmonischem Zusammenspiel. Beides bedingt sich gegenseitig. Nur was nirgends verwurzelt, weder durch äußere Beziehung noch durch Bindung an das eigene Innere festgehalten ist, kann jederzeit beliebige Verbindungen eingehen und wieder lösen. Umgekehrt empfängt die Isolation ihren Sinn erst durch die allseitige Beziehungsfähigkeit, ohne sie müßten die äußerlich isolierten Elemente haltlos auseinanderflattern.

Das Phänomen der Wiederholung hat uns diese Wechselbeziehung zum erstenmal angedeutet. Nur die isolierende Abdichtung jeder Episode, jeder Gestalt, ja jedes einzelnen Verhaltens (vgl. oben S. 41 f.) macht es möglich und sogar wünschbar, daß Gleiches immer wieder mit gleichen Worten berichtet wird; Kürzung, in gewissem Sinne auch Variation tut der Selbständigkeit der betreffenden Episode Abbruch, läßt sie von Vorhergehendem abhängig erscheinen. In Wirklichkeit aber ist sie nicht von Früherem abhängig, sondern von der unsichtbar formenden Kraft, die auch schon dieses Frühere gebildet hat und die selber strengen Gesetzen folgt. Die spätere Szene ist nicht die Kopie der früheren; sie gleicht ihr nur deshalb so genau, weil sie denselben Ursprung hat wie sie. Unter sich sind die beiden Szenen isoliert; aber beide sind Kinder des das Ganze durchdringenden gleichförmig schaffenden Willens. Ohne Beziehung untereinander, werden sie doch geformt und gehalten von ein und derselben Mitte.

Der ganze abstrakte Stil des Märchens, wie er oben dargestellt wurde (S. 25–36), steht unter dem Gesetz der Isolation und Allverbundenheit. Er arbeitet die einzelnen Elemente rein und klar heraus, trennt sie mit irrealer Deutlichkeit, verleiht den Körpern wie den Bewegungen der Märchendinge Festigkeit und Linienschärfe – kurz, er verwirklicht eine Isolierung, wie sie in einer realistischen Erzählung undenkbar wäre. Erst diese Isolierung aber ermöglicht jenes mühelose, elegante Zusammenspiel aller Figuren und Abenteuer, womit uns das Märchen so sehr entzückt und das ebenso zu seinem abstrakten Stile gehört wie die Isolation. Daß die Prinzessin, ohne es zu wissen, gerade nach dem Reiche ihres Vaters wandert und genau in dem Augenblick vor dessen Hauptstadt eintrifft, da er selber gestorben ist und die Minister beschlossen haben, dem ersten Neuankömmling den Thron anzutragen (s. oben S. 32), ist nicht Zufall, sondern Präzision. Dieselbe Präzision läßt den echten Bräutigam immer gerade an dem Tage wiederkehren, wo die Braut nach einem oder nach vielen Jahren mit einem andern Hochzeit halten soll. Die Gattin des ins Jenseitsreich entrückten Gemahls trifft nach langer Wanderung gerade dann dort ein, wenn er sich mit einer andern Frau vermählen will; sie hat unterwegs (von Sonne, Mond und Winden) genau das geschenkt bekommen, was sie nötig hat, um diese zweite Heirat im letzten Augenblick zu verhindern. Stojscha, ein jugoslawischer Märchenheld[109a], braucht sich nur hinzulegen und eines seiner drei Tücher über das Gesicht zu legen («damit die Fliegen ihn nicht stächen», also nicht etwa bewußt als Erkennungszeichen) – und alsogleich kommt, um Wasser zu schöpfen, gerade die Schwester daher, die einst dieses Tuch gestickt hat[110]. Die Kaufmannstochter, die den entrückten und verwundeten Prinzen suchen geht, hört unterwegs «zufällig» das Gespräch eines Riesen und einer Riesin und erfährt so das einzige Mittel, den Gemahl zu heilen[111]. Allerleirauh wandert eine Nacht lang, setzt sich dann in einen hohlen Baum und schläft ein; kaum ist sie erwacht, stößt der König, der gerade an diesem Tage in jenem Walde jagt, auf sie und nimmt sie zu sich[112]. Tschuinis, der Held eines lettischen Märchens, soll gehängt werden; «aber gerade um jene Zeit traf es sich, daß ein Königssohn am Galgen vorbeiging», der ihn loskaufte[113]. Ein Prinz zieht aus, «ein Mädchen zu suchen, das von nirgend her ist»; denn er will kein anderes heiraten; «auf seiner Reise kam er in einen großen Wald», und dort trifft er ein strahlend schönes Mädchen; er «fragte sie, woher sie sei und worauf sie da warte. Sie antwortete ihm, sie gehöre niemand an, sie sei von nirgend her und warte hier auf ihr Glück. Darauf sagte er: ‹Oh! So eine suche ich gerade, die von nirgend her ist; aber willst du mein werden?› – ‹Ich will.› – Da nahm er den Ring von seinem Finger und gab ihn ihr, und sie gab ihm ihren[114].» Das Märchen läßt ihn nicht erst ein paarmal umsonst fragen; gleich die erste, die ihm auffällt, ist die, die er sucht. Der Zarensohn, der die goldenen Pfauhennen suchen geht, «begab sich allein auf die Reise in die weite Welt und kam so auf der langen Wanderung in ein Gebirge, übernachtete dort bei einem Einsiedler und fragte ihn, ob er ihm nicht etwas über die neun goldenen Pfauhennen sagen könnte. Der Einsiedler antwortete: ‹Ei, mein Sohn! Du hast Glück; Gott hat dich gerade den richtigen Weg geführt; von hier bis zu ihnen ist es nicht mehr als eine halbe Tagereise[115]›.» Auch hier hören wir nichts von früheren Nachforschungen des Prinzen; das Märchen stellt es so dar, als ob er auf der langen Wanderung (die er ohne jede Begleitung allein ausführt, vgl. oben S. 29) jetzt zum erstenmal seine Frage stelle – und gerade dieser Einsiedler vermag ihm die gewünschte Auskunft zu geben. Im Grimmschen Rapunzelmärchen stechen die Dornen dem Königssohn die Augen aus; nun irrt er blind umher und trifft in der Ferne doch gerade die Stelle, wo Rapunzel mit ihren beiden Kindern Zuflucht gefunden hat. Wenn auch dieser Schluß nicht auf ein wirkliches Volksmärchen, sondern auf die Erfindung einer französischen Literatin des 17. Jahrhunderts zurückgeht[116], so macht er doch einen immer wiederkehrenden Zug des Volksmärchens bildhaft sichtbar: Der Blinde stößt auf das, was er sucht, der Verirrte findet den Weg, der ihn zum Wesentlichen führt. Der Bauernbub heiratet die Prinzessin, der Grindkopf die Königstochter, Aschenputtel den Königssohn; das verstoßene Mädchen ohne Hände bekommt einen Ritter oder König. Der jüngste von drei Brüdern, der Dummling, der Grindkopf, Aschengrübel, Peau d'Ane, die Waise, das Stiefkind oder dann Prinz oder Prinzessin sind die Helden des Märchens. Gerade sie, die Isolierten, sind die Begnadeten. Gerade sie stehen, weil sie isoliert sind, im unsichtbaren Kontakt mit den Wesensmächten der Welt.

Man hat viel von der Herrschaft des Zufalls im Märchen gesprochen. Man könnte auch sagen: Das Märchen ist eine Dichtung, die den Zufall nicht kennt.

Man hat es Zufall genannt[117], daß im Zwölfbrüdermärchen die Heldin gerade erst in dem Augenblick zum Tod verurteilt und zum Scheiterhaufen geführt wird, als die drei- oder siebenjährige Frist der Verwünschung für ihre Brüder eben abgelaufen ist, so daß diese zur Rettung herbeieilen und die Schwester noch unversehrt aus dem Feuer reißen können. Dieses genaue Aufeinanderpassen der Situationen ist aber nichts anderes als eine Konsequenz des abstrakten Märchenstils. Die beiden äußerlich völlig isolierten Vorgänge: das Vertrauen des königlichen Gemahls geht endlich verloren – die Zeit der Verwünschung ist endlich abgelaufen – sind auf unsichtbare Weise koordiniert.

Ihr Zusammenfallen ist nicht Zufall, sondern Präzision. Man ist versucht, zu sagen: Der Märchendichter richtet es so ein. Damit aber würden wir von dem Grundsatze, zunächst nur das Werk und seine Wirkungsweise zu betrachten, abgehen. Wir fragen nicht nach den Absichten des Märchenbildners; es ist schwer, zu entscheiden, wie weit er bewußt konstruiert, wie weit er unbewußt Erschautes nachzeichnet. Aber es ist reizvoll genug, das Werk selber und seine Geheimnisse zu durchleuchten; die Frage nach seinem Schöpfer liegt in der Ferne. Wenn wir das Werk, das Märchen, fragen und darauf achten, wie es aufgenommen wird, so erkennen wir sogleich mit völliger Klarheit: Der Zusammenfall der beiden Ereignisse wirkt innerhalb des Märchengefüges durchaus natürlich. Wir empfinden ihn nicht als «eingerichtet» und nicht als «Zufall»; denn er entspricht vollkommen dem Stil, der das ganze Märchen durchdringt. Er wird möglich durch das, was im Märchen auch alles andere beherrscht: durch die Isolation und universale Beziehungsfähigkeit.

Isolation und potentielle Allverbundenheit sind Korrelate. Nicht trotz ihrer Isolierung ist die Märchenfigur kontaktfähig mit allem und jedem, sondern wegen ihrer Isolierung. Wäre sie eingebaut in feste Bindungen, wie es Menschen und Dinge der Sage sind, so wäre sie nicht frei für das Eingehen immer gerade der Bindungen, welche die jeweiligen Situationen erfordern. Der Mensch der Sage ist eingebettet in Dorfgemeinschaft und Sippe; er hat feste Lebens- und Denkgewohnheiten, er hat Gefühlsbindungen, von denen er sich niemals losreißt. Die Dinge der Sage stammen aus Zusammenhängen, die ihrem Wesen gemäß sind, und haben Funktionen, die ihrer Eigenart entsprechen. Brot, Kuchen, Käse sind dazu da, gegessen zu werden; sie können zunehmen und abnehmen, im äußersten Falle verwandeln sie sich in wertlose oder ekelhafte Substanzen, in Kröten etwa. Im Märchen aber gibt es Äpfel, die Wasserfrauen herbeirufen, Eier, die jeden Wunsch erfüllen; Birnen lassen mit mechanistischer Plötzlichkeit lange Nasen wachsen und wieder abfallen[118]. In der Sage spendet der Wassermann Gold oder Perlen, aber niemals Käse; diesen bekommt man vom wilden Mannli, den Kristall vom Bergzwerg, das Wundergarn vom Holz- oder Moosweiblein. Der Bauer empfängt Werkzeuge und Eßwaren von den Unterirdischen, die Bäuerin Garn und Spindel, der Ritter Waffen oder Schmuck- und Prunkstücke. Alles ist aufeinander abgestimmt. Im Märchen kann ein Stern Käse spenden, ein Maultier einen Strohhut, ein Adler Holzpantoffeln. Prinz und Bauerndummling empfangen genau dieselben Gaben: Zauberschwerter, Wunderrosse, goldene Gewänder, und heiraten mit derselben Leichtigkeit irgendein Mädchen, sei sie Kaiserstochter oder Gänsemagd. Nächstes kann zu Nächstem ohne Beziehung bleiben, Fernes kann sich mit Fernem verbinden. Denn im Märchen ist sich alles gleich nah und gleich fern, alles ist isoliert und eben deshalb universal beziehungsfähig. Wenn in der Sage ein Mensch auf den Grund des Meeres oder eines Sees steigt, so ist es, um mit Wassermann oder Nixe zu leben oder um der Wassermannsfrau in Geburtsnöten beizustehen[119]. Der Märchenheld aber folgt unbekümmert einer Herde von Kühen oder Stuten, die auf dem Meeresgrund zur Weide geht[120]. In der Sage sind die einzelnen Elemente ineinander verzahnt; sie sind zu sehr spezialisiert, um sich immer gerade dort einzufügen, wo es not tut; sie sind, als Teile fester Gemeinschaften, an den Ort gebunden und nicht bereit zum Eingehen immer neuer, den wechselnden Situationen entsprechender Verbindungen. Die Elemente des Märchens sind vollkommen isoliert; sie lösen sich von jeder bestehenden Verbindung leicht und machen sich für eine neue frei. Doch bleibt auch diese nur eine Verkoppelung; sie wird ebenso leicht wieder gelöst, wie sie zustande kam. Der Held vergißt Eltern und Heimat, wenn nicht die Handlung ihn dahin zurückführt. Die Prinzessin vergißt den Gemahl, der Prinz die Braut. Die Gabe wird nicht mehr erwähnt, sobald keine Aufgabe mehr nach ihr ruft. Der Helfer tritt ins Nichts zurück, sowie die Schwierigkeit überwunden ist. Die einzige bleibende Verbindung, die der Held eingeht, die Ehe, interessiert das Märchen nur, solange sie wieder getrennt werden kann; ist sie einmal fest und gesichert, so bricht die Erzählung ab. Die Heirat ist nicht Ziel, sondern nur Schlußpunkt des Märchens.

Vollkommene Verkörperungen der Isolation und Allverbundenheit sind insbesondere die Gabe, das Wunder und das stumpfe Motiv.

Die *Gabe* ist ein zentrales Motiv des Märchens. Da die Märchenfiguren keine eigene Innenwelt haben und also konsequenterweise eigentlich auch keine eigenen Entschlüsse fassen können (vgl. oben S. 15ff.), muß das Märchen danach trachten, sie durch äußere Anstöße vorwärts zu bewegen. Ein Auftrag des Königs, das Gebot des Vaters, die Notlage oder die Werberprobe einer Jungfrau führen den Helden in die Welt hinaus. Aufgaben und Gefahren geben ihm entscheidende Möglichkeiten. Geschenke, Ratschläge und direktes Eingreifen jenseitiger wie diesseitiger Gestalten helfen ihm weiter. In der Sage steht der Mensch, der eine arme Seele erlösen oder einen Schatz gewinnen will, auf sich selbst; die Kraft oder die Schwäche seiner Persönlichkeit bedingen Verlauf und Ausgang des Unternehmens. Im Märchen käme der Held ohne die Hilfe vor allem jenseitiger Figuren nicht zum Ziel. Diese Hilfe aber wird ihm in reichem Maße zuteil. Aus dem Nichts heraus treten die Jenseitigen auf ihn zu und reichen ihm ihre Gaben. Und wenn er sie zu ergreifen vermag, während sie dem Unhelden entgehen, so ist das oft durch nichts anderes begründet als eben dadurch, daß er der Held ist. Er braucht nicht moralischer zu sein als seine Brüder oder Gesellen; er behandelt den Jenseitigen vielleicht gerade unbarmherziger als sie, er kann wortbrüchig sein[121]; oder er ist ein ausgemachter Faulpelz – aber gerade ihm verrät ein Fisch den Zauberspruch, der ihm ohne Arbeit alles verschafft, was er will[122]. Die Helden des Märchens treffen die richtigen Helfer und drücken die richtige Taste, um die Hilfe zu erlangen – die Unhelden begegnen oft gar keinem Helfer, und wenn, dann reagieren sie falsch und verscherzen die Gabe. Der Held ist der Begnadete. Es ist, als ob er in unsichtbarem Kontakt stünde mit den geheimen Mächten oder Mechanismen, die Welt und Schicksal gestalten. Ohne es selber zu wissen, handelt er nach zwingenden Gesetzen. Wie von einem Magnet geführt, geht er, der Isolierte, seinen sicheren Gang und zieht genau die Linie, die der Zusammenhang des Weltganzen von ihm fordert.

Die Gabe, die der Held empfängt, ist Trägerin seiner Verbindung mit Jenseitigen und Diesseitigen. Daß sie so häufig ist und vom Helden so mühelos aufgefangen wird, erweist uns dessen umfassende Fähigkeit zu beliebigen Verbindungen. Wenn das Märchen seine Helden so gerne nur durch Kettenhilfe zum Ziele gelangen läßt, so ist ihm das nicht nur Mittel der Längung, der Steigerung, der Variation, sondern auch Bild der Allverbundenheit; leicht, wie selbstverständlich, findet der Held den Kontakt mit beliebig vielen Helfern. Zugleich aber spiegelt die Gabe die Isoliertheit des Helden. Seine Verbindung nach außen ist keine direkte und dauernde, sondern wird getragen durch eine Gabe, mit Vorliebe eine scharf sichtbare, isolierte Dinggabe, die sich nicht mit ihm vereinigt, sondern die er als etwas Äußerliches empfängt, verwendet und nachher wieder weglegt. Selbst die unsinnliche Gabe handhabt der Märchenheld im wesentlichen wie eine Dinggabe: Eigenschaften, Fähigkeiten, Verletzungen vereinigen sich nicht mit der Gesamtpersönlichkeit, sondern spielen nur dann eine Rolle, wenn die äußere Situation es erfordert.

Die Gabe des Märchens entfließt nicht, wie die der Sage, einer vorher schon bewußt erlebten und erkannten Beziehung, sie stammt nicht von ortsvertrauten Jenseitigen. Sie wird dort, wo eine Aufgabe es erfordert, unvermittelt oder dank einer ad hoc rasch und dürftig hergestellten Beziehung von meist ganz fremden Figuren verliehen. Der Held empfängt sie nicht kraft einer speziellen Verbindung – er hat keine solchen Verbindungen – sondern kraft seiner allgemeinen Kontaktfähigkeit. Die Gabe, selber eine in sich geschlossene isolierte Figur, repräsentiert bildhaft scharf unbekannte Seinssphären und die latente Verbindung des äußerlich isolierten Helden mit ihnen. Die Gabe, die der Held empfängt, ist wie dieser von normaler Gestalt, nicht zwergisch oder riesenhaft oder verzerrt; sie sieht aus wie ein gewöhnliches Ding, besitzt aber phantastische Wirkungsmöglichkeit. Damit ist sie selber reinster Ausdruck der äußeren Isoliertheit und potentiellen Allverbundenheit. Sie selber steht, so wie der Held durch sie, in unsichtbarem Kontakt mit dem ganzen Weltengewebe. Daß der Held sie empfängt – empfangen kann und empfangen muß – weist zugleich den hohen Vorzug des Märchenhelden wie auch seine Beschränkung auf. Er ist begnadet, er wird getragen und vorwärtsbewegt durch überlegene oder einem überlegenen Plan dienende Mächte, ohne durch irgendeine untergeordnete Verbindung an relative Werte gekettet zu sein. Aber der Märchenheld ist auch, ebenfalls zufolge seiner Isoliertheit, diesen ihm ganz unbekannten Mächten völlig ausgeliefert; er vermag die fördernden Verbindungen nicht willentlich herzustellen, sondern bleibt darauf angewiesen, daß sie ihm geschenkt werden. Denn er ist nicht ein suchender und ahnender Mensch, sondern eine bloße Figur, die sich ihre Ziele weder selber steckt noch sie durch eigene Kraft und Leistung erreicht.

Auch das *Wunder* steht dem Märchenhelden zur Verfügung. Aber wiederum nicht so, daß er über das Wunder herrscht. Er wirkt es nicht selber wie der Magier oder Hexenmeister der Wirklichkeit und der Sage. Er erzwingt nichts. Er läßt sich auch das Wunder schenken. Der Märchenheld ist nicht selber ein Zauberer, er empfängt die Zauberdinge von außen (vgl. oben S. 11 f.). Er erfleht sie nicht einmal, er denkt gar nicht an sie – aber dort, wo sie ihm nötig sind, werden sie ihm zuteil. Die wunderhafte Gabe ist nur eine Steigerung der Märchengabe überhaupt. Daß der Held immer gerade das empfängt, was ihm not tut, ist an sich schon Wunder genug. Daß Gabe und Aufgabe, Gabe und Notlage einander genau entsprechen, daß alle Situationen aufeinander passen, gehört zum abstrakten Stil des Märchens; das Wunder ist dessen letzter, vollkommenster Ausdruck (vgl. oben S. 35 f.). Profane Gaben, etwa Speisen, die verfolgenden Tieren zugeworfen werden müssen, Kleider, die dem Prinzen oder der Rivalin ins Auge stechen sollen, erfahren wenigstens eine ihrer Eigenart entsprechende Verwendung. Die Feder aber, die jede beliebige Arbeit verrichtet[123], das Ei, das jeden Wunsch erfüllt[124], das Pferd, das nicht nur kluge Ratschläge erteilt, sondern auch Brücken baut[125], der Zauberspruch, der alles Gewünschte zu verwirklichen vermag[122], sie stehen völlig außerhalb jedes erkennbaren Zusammenhangs und deuten doch auf verborgene Zusammenhänge hin. Die phantastisch wunderhafte Gabe bewältigt jede beliebige Situation, ohne ihr wesensmäßig angemessen zu sein. Sie ist nirgends verhaftet und doch allseitig beziehungsfähig; sie offenbart am reinsten die das Märchen erfüllende Isolation und Allverbundenheit.

In der Legende wird das Wunder begriffen und verehrt als eine Offenbarung des alles beherrschenden Gottes. In der Sage ist es verwirrendes und schwer deutbares Zeichen einer wichtigen und gefährlichen Jenseitswelt; es reizt oder ängstigt den Menschen. Im Märchen aber ist das Wunder ein Element der Handlung und hat in ihr seinen bestimmten Sinn; deshalb wird es ohne Staunen und ohne Erregung hingenommen, als ob es selbstverständlich wäre. Wer es wirkt, auf wen es zurückdeutet, interessiert wenig; nach dem Quell, dem Ursprung des Wunders an sich wird nicht gefragt. Legende und Sage fassen das Wunder als erregenden Einbruch des Numinosen in die profane Welt. Dem Märchen aber ist das Wunder etwas Selbstverständliches (wenn auch nicht Alltägliches). Es ordnet sich dem abstrakten Stil zwanglos ein. Das Märchen faßt *alles* als ein Isoliertes und universal Beziehungsfähiges; das Wunder bringt beides nur besonders scharf und lichtstark zum Ausdruck. Das Märchenwunder verwirklicht sich rein und unmittelbar, unabhängig von äußeren Vorbedingungen. Und doch gehorcht es einer verborgenen, vom Märchen in keiner Weise begründeten, aber umfassend wirksamen Gesetzlichkeit.

Das Märchen begründet und erklärt nicht; aber es stellt dar. Seine Figuren wissen nicht, in was für Zusammenhängen sie stehen; aber sie lassen sich von diesen Zusammenhängen tragen und gelangen zum Ziel. Die jenseitigen Gestalten fügen sich nicht zu einem wohlgeordneten und überschaubaren Ganzen; wir sehen sie nur, wenn sie in die Handlung eingreifen, erhaschen also nur eine kleine Wendung ihres Wirkens; aber diese ordnet sich sinnvoll in das Gefüge der Handlung ein. Die Märchenhandlung selber erscheint als in sich geschlossen und doch abhängig von unsichtbaren Ordnungen. Vieles wird wirksam, ohne sichtbar zu werden. Manches wird sichtbar, aber nicht durchschaut. Nach Wesen und Stellung der handelnden Figuren wird nur gefragt, sofern dies für die Handlung wichtig ist. So kommt es, daß das Märchen voller stumpfer Motive ist.

Das *stumpfe Motiv* gehört wesensmäßig zum Märchen. «Stumpf», das heißt ja nichts anderes als abgekapselt, isoliert. Die Beispiele, die oben (S. 37–49) für die isolierende Technik stehen, sie sind alle auch Beispiele für das stumpfe Motiv: der Zauberberg, der plötzlich nicht mehr ausgenützt wird, die Werbungsbedingungen, die ahnungslos verraten werden, der Verlust der Füße, der in der folgenden Episode schon nicht mehr beachtet wird usw. Die Isolierung bewirkt, daß die einzelnen Elemente sich nicht nach allen Richtungen, die wir erwarten, auswirken müssen; sie können nach einer oder nach mancher Seite hin stumpf bleiben. Wesentliche Wirkungen, die wir mit ihnen verbunden wissen, treten nicht ein; die Herkunft, die Geschichte, das frühere und das spätere Schicksal der handelnden Figuren bleiben unbeleuchtet. Die Jenseitigen und ihre Gaben ragen in das Märchengeschehen hinein, sie spielen hier mit hoher Präzision ihre Rolle – ihr Woher aber und ihr Wohin, der Grund, weshalb sie im richtigen Augenblick einzugreifen vermögen, überhaupt ihr eigentliches Wesen werden nicht untersucht. Gewonnene Reichtümer wirken nur als Handlungsbeweger oder als Episodenschluß; die Möglichkeit, sie weiter auszuwerten, bleibt vom Märchen ungenutzt. Die Fähigkeiten des Märchenhelden können auf wunderbare Geburt, auf Jenseitigengaben oder auf eine bestandene Lehrzeit zurückgeführt werden, sie können aber auch gänzlich unbegründet bleiben. Der eine versteht die Tiersprache, weil er eine wunderbare Speise gegessen hat, der andere, weil ein weiser Lehrmeister sie ihn gelehrt hat, ein dritter aber versteht sie einfach, niemand sagt uns warum. Was im einen Märchen die Gabe eines Jenseitigen ist, ein Tischleindeckdich, eine Zauberflöte oder ein Zauberschwert, das wird anderswo einfach gefunden[126]. Aber auch da, wo ein Geber auftritt, ist die Stumpfheit nicht aufgehoben, sondern nur um eine Stufe zurückgeschoben. Der Geber ist selber meist ein Unbekannter, ein kleines Männchen, eine Alte, ein helfendes Tier, ein Drak, ein Troll, eine Fee. Er ist, anders als im Mythos und in der Legende, nicht eindeutig einzuordnen in ein bekanntes System. Teufel, Engel, Gott und die Apostel gehören eigentlich nicht ins Märchen, sie sind nur unechte Vertreter der wirklichen Märchenjenseitigen und schleichen sich besonders gern ins Schwankmärchen ein, das überhaupt der Vermischung offen steht. Die unsichtbaren Hierarchien, denen der eigentliche Märchenjenseitige angehört, kennt man nicht. Die Schicksale Verwünschter werden nur teilweise sichtbar (vgl. oben S. 44). Das Märchen strebt nicht nach Systematik. Alle seine Handlungselemente sind scharf bestimmt. Die Fäden aber, die zu ihnen hinführen, bleiben unsichtbar, und insofern ist von einer *grundsätzlichen Stumpfheit aller Märchenmotive* zu sprechen.

Man hat bisher zwischen «stumpfem Motiv» und «blindem Motiv» nicht unterschieden, sondern beide Bezeichnungen in gleicher Bedeutung gebraucht. Und doch drängt sich, vom Märchen aus gesehen, eine Spezialisierung der zwei verschiedenen Ausdrücke geradezu auf. Ich nenne «blindes Motiv» nur ein nach allen Richtungen hin funktionsloses Element. Motive dagegen, die zwar nicht völlig funktionslos im Märchen stehen, aber doch nach einer oder nach mancher wesentlichen Richtung hin zusammenhanglos bleiben, bezeichne ich als «stumpfe Motive».

Vollständig blinde Motive sind im Märchen nicht allzu häufig. Brüder oder Gesellen, die gar keine Aufgabe haben, Gaben, die zu nichts benützt werden, fremde Gestalten, die keine Rolle spielen, kommen recht selten vor. Ferenand getrü findet eine Schreibfeder, die er auf Geheiß des Zauberrosses an sich nimmt, aber später wieder verliert; ein helfender Fisch bringt sie ihm zurück – trotz dieser komplizierten Vorgänge bleibt die Feder ohne Funktion[127]. Von den drei Zauberhalftern, die ein Graubündner Dummling von seinem toten Vater bekommt, verwendet er nur die beiden ersten[128]. Eine dänische Goldmarie erhält neben zwei anderen, später handlungswichtig werdenden Gaben eine dritte: wenn sie ihre Haare auflöse, solle es hell werden; diese dritte Gabe beeinflußt die Handlung in keiner Weise, sie tritt überhaupt nie in Aktion[129]. In einem Kärntner Märchen vom dankbaren Toten[130] hat von den drei Brüdern der mittlere keine eigene Rolle, und auch der älteste ist nicht eigentlicher Episodenträger, sondern hat nur eine untergeordnete Bedeutung; die sonst von den Brüdern verübten Anschläge auf den Helden gehen hier von einem bösen Obersten aus.

Derlei völlig blinde Motive werden in den meisten Fällen durch mangelhafte mündliche Übertragung entstanden sein; man hat eine Episode oder einen einzelnen Zug vergessen, behält deren Träger aber doch bei, weil er in eine feste Stilformel eingebaut ist: drei Brüder, drei Gegner, drei Prinzessinnen, drei Gaben. Durch Vermischung mit einem andern Märchen sind gewisse Figuren überflüssig geworden – die starre Stilformel hält sie trotzdem fest. Und sogleich spüren wir: Wenn auch das Entstehen des blinden Motivs oft den Mängeln der mündlichen Überlieferung, dem Vergessen, der Vermischung zuzuschreiben ist[131] – das hartnäckige Festhalten an ihm läßt sich auf diese Weise nicht mehr erklären. Ein sinnlos gewordenes Element könnte leicht fallen gelassen werden; ist es in eine Stilformel eingebaut oder besitzt es besondere Bildkraft, so müßte es auch einer dürftigen Phantasie leicht fallen, ihm statt der vergessenen eine neue Begründung zu geben, eine neue Funktion zuzuweisen; geläufige Motive, fertige Prägungen, die sich dazu verwenden lassen, liegen stets bereit. Aber das Märchen verzichtet auf

Ausmerzung wie auf Neubegründung. Denn ihm ist auch das sinnlos gewordene Element sinnvoll: Es deutet auf geheime Ordnungen hin, von denen gerade nur diese Spitze in die Ebene des Märchens ragt. Gaben, die funktionslos bleiben, zeigen den Helden eben doch als einen, der begabt wird, der trotz seiner Isolation im Kontakte steht mit geheimen Mächten. Brüder, die keine Rolle spielen, haben immerhin als unbegnadete Kontrastfiguren ihre Bedeutung. Das blinde Motiv ist dem Märchen nicht Ballast, sondern Zeichen für nicht erschaute, aber deswegen doch wirkende Zusammenhänge.

Die *stumpfen* Motive vollends beherrschen das Märchen. Sie sind gewiß nicht nur durch mangelhafte Übertragung entstanden, sie bilden von Anfang an einen integrierenden Bestandteil des Märchenstils. Im französischen «Cendrillon» (bei Perrault) gebietet die Patin-Fee der Heldin, vor zwölf Uhr vom Tanz wegzueilen. Eine ähnliche Anweisung erhält Móirín, das irische Aschenbrödel, von dem helfenden Kätzchen (Verwandlungsform der toten Mutter[132]). Dem Grimmschen Aschenputtel stellt niemand eine Bedingung, und doch handelt es, als ob eine solche bestünde. Kein Vernünftiger wird deswegen das deutsche Märchen als verstümmelt bezeichnen. Die «stumpfe» Stelle braucht nicht durch unvollkommene Übertragung entstanden zu sein; sie ist echt märchenhaft: Aschenputtel handelt, ohne selber zu wissen warum, nach zwingenden Gesetzen. Dasselbe tut die jüngste Kaufmannstochter, die von ihrem Vater unbegreiflicherweise ein ganz wertloses, aber dafür schwer zu erlangendes Geschenk wünscht, welches sie dann, ohne daß sie dies vorher ahnt, in Beziehung zum Tierprinzen bringt[133]. Zweiäuglein erfährt das Sprüchlein, das ihm ein Tischleindeckdich verschafft, von einer weisen Frau; den andern Zauberspruch aber, mit dem sie ihre Schwestern einschläfert, spricht sie ohne jede Belehrung von sich aus. Woher weiß sie ihn? Das Märchen sagt es uns nicht[134]. Ebensowenig verrät es uns, wieso der Vater der Tierprinzenbraut auf den Gedanken kommt, seiner Tochter Zündhölzchen zuzustecken. Daß der Tierprinz mit ihnen erlöst werden kann, scheint er nicht zu wissen[135]. Ein serbokroatischer Märchenheld erfährt von seinem Pferd, daß er, um seine Aufgabe zu lösen, vom König Nahrung für neun Tage, ferner neun Büffelhäute, neun Knäuel Garn und neun Nadeln fordern müsse. Darüber hinaus aber fordert er aus eigenem Antriebe noch neun Metzen Hirse. Woher weiß er, daß er auch diese nötig haben wird[136]? In dem bulgarischen Faulpelz-Märchen[122] wünscht die Zarentochter verschiedentlich, daß der Held seinen Zauberspruch anwende; er aber antwortet jedesmal: «Gib mir eine Feige, wenn du willst, daß ich es sage.» Warum er dies wünscht, was er dann mit der Feige anfängt (die Prinzessin hat von ihrem Vater als einzige Mitgift ein paar Kränze Feigen mitbekommen), davon ist nicht die Rede; der sexuelle Sinn, der hinter dem Bilde stehen mag, hat sich verflüchtigt[137], und das Motiv hängt in der Luft. Aber das Märchen liebt solche freischwebenden Motive; sie deuten auf Gesetzmäßigkeiten, die im verborgenen wirken; das Verhalten Aschenputtels, Zweiäugleins, des Faulpelzes wird nicht als willkürlich empfunden, sondern als Ausfluß dieser verborgenen Gesetzlichkeit. Das Märchen drängt geradezu zum stumpfen Motiv. Es spricht wie aus selbstverständlicher Kenntnis einer jenseitigen Welt heraus, richtet seinen Blick aber nicht auf sie, wie die Sage und die Legende es tun, sondern ausschließlich auf die Handlung, in die der Held verflochten ist und in die hinein jenseitige Einflüsse spielen, Hilfen und Schädigungen, welche der Held auffängt, ohne sie in ihrem Wesen und in ihren Zusammenhängen zu durchschauen. Das Märchen selber deckt diese Zusammenhänge nicht auf. Der Held erkennt sie nicht, aber er hat an ihnen teil; er beherrscht sie nicht, aber er wird von ihnen getragen. Allenthalben tauchen Figuren auf, die wir nur einen Augenblick lang in die Handlung eingreifen sehen, deren eigene Bahn uns aber verborgen bleibt. Unerklärt wirken unbekannte Einflüsse in das Feld der Handlung ein. So ist das heitere, klare, selbstsichere Märchen voll halbstumpfer, stumpfer und blinder Motive, die jedes für sich freilich auch umrißscharf sind, die aber doch beständig auf eine Welt hinweisen, die als Ganzes darzustellen nicht unternommen wird. Sie lassen uns die unsichtbare Allverbundenheit spüren, die in dieser Welt besteht, erscheinen selber aber in äußerer Isolation.

Zentraler Träger der Isolation und Allverbundenheit im Märchen ist der *Held.* Isoliert und allseitig beziehungsfähig sind alle Figuren des Märchens, Personen wie Dinge. Aber nur für den Helden wird die latente Beziehungsfähigkeit immer wieder zur aktuellen Beziehung. Die Unhelden verschlafen die Möglichkeiten, sie nehmen sie nicht wahr, sie verscherzen sie, oder sie begegnen ihnen gar nicht. Die Nebenfiguren stehen am Rande und sind nur wichtig als Kontrastgestalten oder als Handlungspartner. Das Blendlicht der Erzählung verfolgt den schmalen Weg des Helden und nur ihn. Es zeigt ihn uns, wie er isoliert dahinzieht, bereit zur Aufnahme jeder wesentlichen Beziehung wie zur Lösung jeder unwesentlich gewordenen. Die Aufgaben, Schwierigkeiten, Gefahren, die sich ihm entgegenstellen, sind ihm nichts als Möglichkeiten. In der Begegnung mit ihnen wird sein Schicksal zu einem wesentlichen. Die Hilfen, die er auffängt, dienen ihm nicht zur Befriedigung seiner Lüste

– das Märchen zeichnet alles andere als ein Schlaraffenland –, sondern nur dazu, seinen Schicksalsweg zu gehen. Und dadurch, daß der Held seinen eigenen Weg verfolgt, erlöst er andere, oft ohne es beabsichtigt zu haben. Oder er hilft anderen, ohne dabei an sich zu denken – und öffnet sich gerade dadurch den Weg zu seinem Ziel. Der Held muß etwa seinem Helfer, einem Schimmel, zum Schluß das Haupt abschlagen – und damit entzaubert er zu seiner eigenen Überraschung einen verwunschenen Prinzen[17]. Die Königstochter wirft den Froschkönig gegen die Wand, um ihn zu töten – gerade dadurch aber erlöst sie ihn. Umgekehrt gibt der Dummling das schöne Geld, das ihn zur Reise nach dem Lebenswasser ausrüsten sollte, unbekümmert hin, um einen mißhandelten Toten loszukaufen[138]; und gerade so, indem er sein eigentliches Ziel aus den Augen setzt und einzig der aktuellen Situation Genüge tut, erwirbt er sich, ohne es zu wissen und ohne es beabsichtigt zu haben, den einzigen Helfer, der ihn zu seinem Ziele führen kann und dessen Kräfte auch noch hinreichen, ihn vor den Tücken der falschen Brüder zu retten. Gerade dann, wenn die Märchenhelden ganz isoliert handeln, stehen sie, ohne es zu wissen, im Schnittpunkt vieler Linien und genügen blind den Forderungen, die vom Ganzen aus an sie gestellt werden. Sie denken nur an ihren eigenen Weg – und erlösen dadurch andere. Sie denken nur an den anderen – und erreichen so das eigene Ziel. Der Märchenheld gleicht denen, die den Gral finden, gerade weil sie ihn nicht suchen. Eine zielbewußt und umsichtig durchgeführte Unternehmung läßt das Märchen gerne scheitern: Der Uriasbrief wird unterwegs von Räubern in sein Gegenteil umgeschrieben. Der arme Bauernbursch aber, der ohne Hilfsmittel, ohne Vorbereitung und ohne jede spezifische Befähigung auszieht, um die unlösbare Aufgabe zu lösen, dem wird geholfen, den führen die Mächte zum Ziel. Der Blinde, der Enterbte, der Jüngste, Elternlose, der Verirrte, sie sind die wahren Märchenhelden, denn sie sind die Isolierten und damit wie niemand sonst frei für alles wirklich Wesentliche. Als Isolierte leben sie «in Figuren». Ohne ihren wahren Platz zu kennen, handeln sie «aus wirklichem Bezug». Das Märchen bringt das, was Rilke erschaute und erstrebte, aber niemals erreichte, zur vollkommenen Darstellung. Nicht in konkreter Fülle freilich, aber in abstrakter Stilisierung.

> Heil dem Geist, der uns verbinden mag;
> denn wir leben wahrhaft in Figuren.
> Und mit kleinen Schritten gehn die Uhren
> neben unserm eigentlichen Tag.

Ohne unsern wahren Platz zu kennen,
handeln wir aus wirklichem Bezug.
Die Antennen fühlen die Antennen,
Und die leere Ferne trug ...[139].

Der abstrakt-isolierende, figurale Stil des Märchens ergreift alle Motive und verwandelt sie. Dinge wie Personen verlieren ihre individuelle Wesensart und werden zu schwerelosen, transparenten Figuren.

Die Motive, die das Märchen erfüllen, sind nicht im Märchen selber gewachsen. Viele von ihnen sind einfache «Gemeinschaftsmotive»: Werbung, Hochzeit, Armut, Verwaisung, Verwitwung, Kinderlosigkeit, Kindesaussetzung, Bruderzwist, Geschwister-, Freundes- und Dienertreue. Sie spiegeln die Beziehungen zwischen Mensch und Mensch, Mensch und Tier, Mensch und Umwelt überhaupt und entstammen profanem Geschehen. Ihre erste Formulierung mögen sie in einfachen Tatsachenerzählungen erhalten haben[140]. Neben diese profanen treten im Märchen numinose und magische Motive: die Begegnung und Auseinandersetzung mit wiederkehrenden Toten, mit Jenseitstieren, mit Drachen- und Fabelwesen aller Art, mit Feen, Trollen, Riesen, Zwergen, die Erlösung Verwünschter, die Zitierung ferner Helfer. Es sind Motive aus der numinos oder magisch erlebten Wirklichkeit; ihre eigentliche Heimat haben sie in der Sagen-Erzählung. Das Märchen nimmt sie ebenso in sich auf wie die profanen Stoffe. Beiden verleiht es die märchengemäße Gestalt und läßt sie so erst zu «Märchenmotiven» werden.

Für viele Elemente des Märchens ist *magischer* Ursprung nachweisbar. Zauberverse werden gesprochen, Zauberworte überliefert; zauberische Bilder, Gewänder, Spiegel kommen vor; Blutzauber, Namenzauber, Analogiezauber werden geübt. In der alles beherrschenden Dreizahl liegt ursprünglich magische Kraft. Aber sogleich erweist es sich, daß das eigentlich Magische im Märchen verflüchtigt ist. Magie ist untrennbar verbunden mit Anspannung der Seele. Zauber verwirklicht sich durch Beschwörung, durch einen Willensakt. Gerade davon ist im Märchen nichts zu spüren. Wenn der Held die Schuppe, das Haar oder die Feder, die er vom helfenden Tier empfangen hat, reibt oder anwärmt, so ist mit diesem Akte keinerlei Willensanstrengung verbunden, die darauf gerichtet wäre, das Tier herbeizuzwingen. Und das Tier selber scheint nur auf ein verabredetes Zeichen zu reagieren, nicht einen Zwang zu erleiden. Selbst dort, wo der Held die Flosse, den Ameisenflügel der empfangenen Anweisung entsprechend anbrennt, sieht man den Fisch, die Ameise nicht unter der Hitze leiden; wenn sie mit mechanischer Plötzlichkeit «sogleich» herbeieilen[141], so schreibt man dies keineswegs schmerzhafter Nötigung zu, sondern nimmt es ganz natürlich als Ausprägung des abstrakten Märchenstils. – Auch Zahlenmagie kennt das Märchen nicht. Da heißt es niemals: «Du mußt es dreimal sagen.» Jedes Zauberwort spielt beim ersten Aussprechen, jede Zaubergebärde wirkt leicht und sicher. Keine angestrengte Wiederholung, keine magische Verdreifachung ist nötig. Die Dreizahl ist zur Stil- und Bauformel geworden. Auch die Zauberverse fügen sich leicht und anmutig in den Stil des Märchens.

> «Vör mi hell' un achter mi dunkel,
> dat kên Minsch sucht, wo ik hen funkel[142].»
>
> «Weh, Weh, Windchen,
> Nimm Kürtchen sein Hütchen[143].»
>
> «Mazza bacucca,
> Batti batti sulla zucca[144].»

Die ursprünglich magische Gewalt, die vom Metrum ausgeht (Wéh, Wéh, Windchen), wird im Gefüge des Märchens nur noch schwach empfunden. Das Märchen kennt nicht die *Mühe* des Zauberns. Aller Zauber verwirklicht sich mühelos. Das Flötenpfeifchen spielt, und bei jedem Ton erscheint ein Erdmännchen. Nichts zeigt deutlicher die Entmachtung des Magischen als solche spielerische Pluralisierung. Es ist der vergleichenden Forschung möglich, die drei Blutstropfen in der «Gänsemagd» oder die Namennennung im «Rumpelstilzchen» als magische Motive zu bezeichnen. Aber nur, weil sie den Begriff der Magie anderswo gewonnen hat; aus dem Märchen ließe er sich nicht ableiten, denn in ihm ist vom eigentlich Magischen wenig zu spüren[145].

Dieselbe Entmachtung und Verwandlung widerfährt den ursprünglich *mythischen* Motiven. Noch Homer betont mit Nachdruck die Angst und das Beben des Odysseus bei seinem Gang zur Totenwelt. Die Helden des Märchens betreten die jenseitigen Reiche, die sie eben nicht mehr als eigentlich jenseitige erleben (vgl. oben S. 8–12), unbekümmerten Mutes. Die Symplegaden, Skylla und Charybdis lassen die Schrecken des alten Jenseitstores noch ahnen[146] – im deutschen Märchen aber streifen die Flügel des Tores, welche die Hexe zuwirft, noch gerade knapp die Fersen des Helden, der, «als die Glocke acht schlug», d. h. an der äußersten Grenze der gesetzten Frist, in die Umfriedung hineinschlüpft[147]. Was einst mythisches Erlebnis war, ist zum bloßen Formelement geworden, es findet Verwendung, um die extreme Präzision des Geschehens darzustellen. Im Mythos ist die Helferin des Helden die liebende Göttin; schon in antiken Märchen wird sie zum alten Mütterchen[148]; im modernen europäischen Märchen ist bei den Großmüttern, Gattinnen, Schaffnerinnen oder gar Großvätern[149] der Jenseitsungeheuer (oder Räuber) nichts mehr von der starken Gefühlsbeziehung der mythischen Helfer zum Helden lebendig.

Daß alles *Numinose* im Märchen verflüchtigt ist, haben wir dargetan (oben S. 8–12). Die Begegnung mit dem Jenseitigen ist da, aber das Erlebnis des Jenseitigen fehlt. Hans Naumann will in den schwarzen und weißen, den steinernen und eisernen Gestalten des Märchens präanimistische Totendämonen erkennen[150]. Auch Riesen und Zwerge haben Beziehung zum Totenreich; hinter der Verzauberung in eine fremde Form (Verwünschung) steckt wohl ursprünglich der Tod[151], ebenso wie hinter der Versenkung in Schlaf. Tiere sind oft verwandelte Tote. Aber im Märchen wird eine derartige Beziehung höchstens sachlich mitgeteilt, niemals gespenstisch fühlbar gemacht. Das Unheimliche, die unbestimmbare Gewalt des Numinosen fehlt. Riesen und Zwerge, Stein- und Eisenmänner, schwarze und weiße Figuren erwecken im Märchen nicht den Schauer des Numinosen. Sie sind vielmehr, kraft der Schärfe und Klarheit ihrer Größe, Gestalt, ihrer Farbe und Materialbeschaffenheit, zu Trägern der extrem stilisierenden Märchenform geworden.

Alte *Riten*, *Sitten*, *Gebräuche* schimmern im Märchen durch. Aber nur die Völkerkunde vermag sie zu entdecken. Nur sie erkennt im Turm, in den die Märchenheldin eingemauert wird (Typus «Rapunzel»), die Pubertätshütte primitiver Kulturen. Nur sie führt die so oft vorkommende Aufgabe, in einer Nacht einen Wald abzuholzen und einen fruchtreichen Garten oder ein Schloß an seine Stelle zu setzen, zurück auf das, was zur Zeit der hackbauenden Pflanzer von einem Freier verlangt wurde: «ein Feld anzulegen und ein Haus zu bauen[152].» Wenn ein Märchenheld in einen Kasten, Koffer oder Korb eingeschlossen wird, mag dies auf einen Initiationsritus zurückgehen. Aber von alledem ist im Märchen nichts unmittelbar zu spüren. Turm, Kasten, Koffer und extreme Aufgabe wirken wiederum als Elemente des abstrakten Märchenstils.

Ebenso entwirklicht sind im Märchen die *sexuellen* und *erotischen* Stoffkerne. Brautwerbung, Hochzeit, Ehe, Wunsch nach einem Kinde sind zentrale Motive des Märchens. Aber jede eigentliche Erotik fehlt. Wenn der Schweinejunge von der Königstochter verlangt, daß sie ihren Busen enthülle und dann, daß sie das Knie aufdecke, regt sich weder bei ihm noch bei ihr das leiseste erotische Gefühl. «Sie löste sogleich das Mieder auf, und nachdem er das Malzeichen auf ihrem Busen gesehen, gab er ihr auch ein zweites Ferkel[43].» Beide Personen haben ausschließlich (das heißt isoliert) ihr unmittelbares Ziel im Auge: er will die gestellte Aufgabe lösen, sie will das Ferkel erhalten. Von der Schau- und Zeigelust, auf die wir die Entstehung des Motives zurückzuführen haben, ist im Märchen auch nicht die kleinste Spur übriggeblieben. Auch die Nacktheit gibt sich im Märchen ganz unerotisch. Sie ist als Gegenpol des prachtvollen Kleides ein Element des extrem ausprägenden Stils[153]. Kinder werden im Märchen mit derselben spielenden Leichtigkeit geboren wie empfangen. Keine Schmerzen bei der Geburt, keine Erregung bei der Empfängnis. «Die Kaiserin ruht auf dem Rücken liegend im tiefsten Schlafe. Sachte näherte sich ihr der Prinz, küßte sie ab und beschlief sie, dann zog er ihr den Ring von der rechten Hand und den Strumpf vom linken Fuß ab und machte ihr ein Zeichen auf dem Knie. Hierauf eilte er auf die Galeere, schleunigst lichtet man die Anker und segelt fort[154].» Oder in einem plattdeutschen Märchen: «Als he de Prinzessin dar ligg'n sùcht, do is se so schön. Un all', wat de Schildwach to em secht hett, dat sleit he in'n Wind un geiht bi ehr to Bett. Nu is se awer ganz in Linn'n beneiht weß. Hê krîcht sin Meß her un snitt sik op ên Sted' 'n lütten Flicken ut, den' stickt he in de Tasch. As he 'n bêten bi ehr slapen hett – sê is dar awer gar ne vun upwakt, se is ümmer faß in Slap bleben – do steit he wedder up. Un do söcht he sik 'n lütten Zeddel her, da schrift he up, wo he hêten deit un wo he hen hört, dat hê den' un den' Köni sin Söhn is. Un den Zeddel stickt he ünner'n Disch in so'n lütt Ritz[155].» In völlig entsinnlichter, wirklichkeitsferner, aber dafür scharf bildhafter Fassung stellt ein dänisches Märchen das schicksalsschwere Geschehen der Hochzeitsnacht dar: «Es war einmal ein König, der hatte eine wunderbare Königin. Als sie Hochzeit hatten und in der ersten Nacht zu Bett gingen, war nichts auf ihrem Bett geschrieben; aber als sie aufstanden, war darauf zu lesen, daß sie keine Kinder haben würden[156].» Als letzte Möglichkeit der Sublimierung tritt wie immer im Märchen das Wunder ein. Der Held braucht nur ein Zaubersprüchlein zu sprechen, und sogleich wird die Zarentochter, die er am Fenster stehen sieht, mit einem Kinde gesegnet[157].

Außer den deutlich der Liebessphäre angehörigen Vorgängen finden sich im Märchen viele Motive und Bilder, die ursprünglich erotischen Sinn gehabt haben. So das Motiv des Tierbräutigams. «Die Königstochter sagte zu ihrem Vater, sie nähme keinen anderen Mann als einen, der ein Raubtier oder ein anderes Tier werden könne[158].» In den Märchen vom Amor- und Psyche-Typus ist das Symbol dadurch geschwächt, daß sich der Tierprinz im entscheidenden Augenblick jedesmal in einen wirklichen Jüngling verwandelt. Das Märchen versteht seine eigenen (oder besser: die von ihm verwendeten) Symbole nicht mehr. Dies kommt besonders schön in dem Wechselgespräch vom verlorenen Schlüssel zum Ausdruck: Die Frage, die ursprünglich nur von einer Frau sinnvoll gestellt werden kann, wird unbedenklich dem Helden in den Mund gelegt[159]. So ist es möglich, daß auch der Wunsch des Froschkönigs, bei der Prinzessin im Bette schlafen zu dürfen, völlig harmlos erzählt und harmlos aufgenommen wird – von Kindern wie von Erwachsenen. Wenn das Märchen bei den vielen kranken Töchtern kaum je eine wirkliche Krankheit nennt, so ist das nicht bewußte Verhüllungsabsicht, sondern Stiltendenz: Das Märchen individualisiert nicht. Der ursprüngliche Sinn der Krankheit aber ist ganz klar: Es ist die Liebeskrankheit, die Sehnsucht nach dem Gemahl. «Denselben Abend, wo er ihr Bild gewahrte, gewahrte auch jene Prinzessin sein Bild und legte sich mit einmal ins Bett. ‹Ach›, sagte sie, ‹wo soll ich ihn finden?› Und die Ärzte verstanden ihre Krankheit nicht[160].» Auch die Hörer und Erzähler des Märchens verstehen sie gewöhnlich nicht. Das Märchen selber versteht ihren Sinn nicht mehr. Denn seine Motive sind allesamt entwirklicht – von den numinosen, magischen, mythischen über die sexuellen und erotischen bis zu den profanen des täglichen Gemeinschaftslebens.

Die *profanen Motive* erfahren dieselbe Darstellung wie alle andern. Alles steht in klaren, sauber gezeichneten Bildern vor uns. Aufregende Sensationen werden mit derselben Ruhe berichtet wie die einfachen Bezüge und Funktionen des Alltags. Ohne tragischen Ton erzählt das Märchen von Mord, Gewalttat, Erpressung, Verrat, Verleumdung, Blutschande und vom unglücklichen Tod so vieler unbegnadeter Anwärter auf die Prinzessin. Die neunundneunzig abgehauenen und auf Pfähle gesteckten Köpfe wirken rein ornamental; schon die formstarre Pluralisierung schließt jedes einfühlende Mitleid aus. Und doch kann den unglücklichen Versagern nichts Ungünstiges nachgesagt werden; der Erlöser Dornröschens ist nicht reiner und edler als seine Vorgänger; es geht ihm nur deshalb besser, weil jetzt eben die hundert Jahre abgelaufen sind, während alle früheren Prinzen diesen Zeitpunkt nicht zu treffen wußten und deshalb elendiglich in den Dornen hängen blieben. Überhaupt gilt die populäre Vorstellung, daß im Märchen das Gute zugleich als schön und erfolgreich, das Böse als häßlich und erfolglos erscheine, nicht ohne Einschränkung. Dergleichen Entsprechungen kommen häufig vor, sie sind aber nicht notwendig; das Märchen ist nicht an solche realen Wunschvorstellungen gebunden. Der Held braucht kein gutmütiger Dummling, er kann auch ein durchtriebener Schläuling sein. Lüge, Wortbruch und Gewalttat sind ihm nicht verboten. Die Prinzessin im «Froschkönig» ist zwar sehr schön, aber durchaus nicht das Urbild der Güte, wenn sie den Frosch, um ihn endlich loszuwerden, aus allen Kräften an die Wand schmeißt. Aschenputtel läßt es kalt geschehen, daß ihre beiden Tauben den Stiefschwestern nacheinander beide Augen aushacken. Die böse Stiefmutter (oder Mutter) Sneewittchens ist alles andere als häßlich; sie ist vielmehr «die allerschönste Frau im Land» und wird einzig von Sneewittchen selber überstrahlt. Die Personen des Märchens sind eben *nicht Typen*, sondern reine *Figuren*. Der Typus ist noch stark realitätsbezogen. Die Figur ist reiner Handlungsträger; die einzige Forderung, die sie zu erfüllen hat, ist scharfe Sichtbarkeit, extreme Ausformung. Die Müller, Bäcker, Soldaten, Minister sind gerade nicht «typische» Müller und Bäcker, Soldaten und Minister. Sie sind keine Berufstypen, sondern zeigen Eigenschaften, die meist mit jedem anderen Beruf ebenso leicht zu verbinden wären. Deshalb können sie auch mühelos durcheinander ersetzt werden: im einen Märchen spielt der Kutscher dieselbe Rolle wie im andern der Minister oder Oberst. Die goldenen Spinnräder, gläsernen Grabschaufeln und goldenen Gänse des Märchens sind nicht typische Spinnräder, Grabschaufeln und Gänse. Die Werkzeuge und Dinge des Märchens brauchen nicht die Funktion zu haben, die ihnen spezifisch zukommt; sie können irgendwelche zauberischen oder profanen Wirkungen ausüben, die zu ihrem realen Wesen wenig Beziehung haben.

So sind im Märchen nicht nur die numinosen, sondern auch die profanen Erlebnisgehalte verflüchtigt. Der Ratschlag, ein gewichtiges Element des menschlichen Gemeinschaftslebens, wird zum mechanischen Handlungsantrieb. Wie die Aufgabe, die Bedingung, die Hilfe und die Gabe überhaupt schiebt er die Märchenfigur, der es an inneren Strebungen mangelt (vgl. oben S. 53), vorwärts. Er entspringt nicht, wie in der Wirklichkeit, einer lebendigen Beziehung, sondern tritt an jeder beliebigen Stelle der Handlung mühelos in Funktion. Das Märchen ist stets bereit, irgendeine Figur erscheinen zu lassen, die den Rat erteilen kann. Der Märchenhörer ist an das häufige Auftreten ratwissender Weiser, Einsiedler, Patinnen, Diener, Tiere und Jenseitiger gewöhnt. Der Ratschlag wird ihm zum vertrauten Requisit, zur Formel. In den maßlos übersteigerten Werbungsbedingungen spüren wir nicht mehr Maßlosigkeit und Übersteigerung, sondern nehmen sie ruhig als Spitzen der ornamental klaren Märchenhandlung. Ihren Ursprung haben solche Freierproben in der überhitzten Eifersucht des König-Vaters oder in der

Gefühlsspannung der Tochter, die entweder Angst vor der Ehe ist oder Sehnsucht nach einem überlegenen («heldischen») Freier oder beides miteinander (Brynhilden-Motiv). Aber das Märchen sublimiert diese dunklen innerseelischen Vorgänge zu lichten Handlungsbildern. – Die Unhelden des Märchens sind die schwerelosen Abbilder der unglücklichen, zerrissenen, schmerzvoll versagenden Täter der Sage. Sonntagskinder, Fronfastenkinder wie die Sage kennt das Märchen nicht. Seine Helden sind nicht die Gewichtigen, Bevorzugten oder Gezeichneten, sondern die Unbeschwerten, die Isolierten. Auch die Sonderstellung des Jüngsten ist im Märchen zur reinen Form geworden. Wir sprechen von Achtergewicht, erkennnen sie im Gesamtzusammenhange des Märchens aber als eine Ausprägung der Isolation[161]. Die realen Ursprünge dieser Sonderstellung, die inneren und äußeren Gründe der Bevorzugung und Benachteiligung des Jüngsten durch Eltern und Geschwister sind im Märchen nicht mehr greifbar. Selbst die unmittelbare Symbolkraft der Kind-Gestalt (Kind, Waise, Findling, Ausgesetzter als Inbegriff des Einsamen und universal Heimischen, des aktuell Schwachen und potentiell Starken, des Endlich-Erfüllenden und zugleich Anfänglich-Zukunftsträchtigen[162]) wirkt im Märchen keineswegs mit derselben Unmittelbarkeit wie im Mythos: eben deshalb, weil die Gestalt des Kindes, des Jüngsten, der Waise im Märchen nur als ein Stilelement unter vielen gleichgerichteten Stilelementen empfunden wird.

Diese Entleerung aller Motive im Märchen bedeutet Verlust und Gewinn zugleich. Verloren gehen Konkretheit und Realität, Erlebnis- und Beziehungstiefe, Nuancierung und Inhaltsschwere. Gewonnen aber werden Formbestimmtheit und Formhelligkeit. Die Entleerung ist zugleich Sublimierung. Alle Elemente werden rein, leicht, durchscheinend und fügen sich zu einem mühelosen Zusammenspiel, in dem alle wichtigen Motive menschlicher Existenz erklingen.

Denn die sublimierende Kraft des Märchens schenkt ihm die Möglichkeit, die Welt in sich aufzunehmen. Das Märchen wird *welthaltig.* Albert Wesselski hat geglaubt, realistische Geschichte, Sage und Märchen in der Weise voneinander scheiden zu können, daß er der «Geschichte» das Gemeinschaftsmotiv, der Sage das Wahnmotiv, dem Märchen das Wundermotiv als wesenseigen zuordnet (vgl. oben S. 63). Er verkennt, daß das Märchen nicht von einer besonderen Art von Motiven lebt, sondern von der besonderen Art der Gestaltung. Seine Motive schöpft es aus «Geschichten» wie aus Sagen und Mythen, zuweilen wohl auch unmittelbar aus der Wirklichkeit. Aber es verwandelt sie alle. Entleerend, sublimierend, isolierend verleiht es ihnen Märchenform. Es gibt keine eigentlichen Märchenmotive, sondern jedes Motiv, sei es profan oder wunderhaft, wird zum «Märchenmotiv», sobald es ins Märchen aufgenommen und vom Märchen märchenhaft gestaltet und nach Märchenweise gehandhabt wird. Das Aussuchen von elf der Königstochter aufs Haar gleichenden Doppelgängerinnen, ursprünglich ein profanes «Gemeinschaftsmotiv», wirkt infolge der abstrakten Stilisierung im Märchen so sehr oder so wenig «wunderhaft» wie irgendein ursprünglich numinoses Motiv, die Begegnung mit einem Zwerg etwa oder mit einem sprechenden Tier. Und dergleichen numinose Motive, wie sie in der Sage ausgebildet werden: die Berührung mit Jenseitigen, Unterirdischen, die Luftreise auf fliegenden Pferden oder Schweinen, bekommen, sobald das Märchen sie aufgreift, ein ganz anderes Gesicht, als sie es in der Sage hatten. Stofflich bleiben es dieselben Motive, aber die neue Form verleiht ihnen Märchencharakter. Das Zusammentreffen mit einem ratwissenden Alten, ein Motiv also, das von Haus aus durchaus nichts Wunderhaftes an sich hat, wirkt, abstrakt stilisiert (der Ratgeber weiß genau das, was den Helden weiterführen kann), im Märchen viel «wunderhafter», «märchenhafter» als weit phantastischere Motive, etwa das Zusammentreffen mit verzerrtgestaltigen Toten, in der Sage.

Es gibt Gemeinschaftsmotive und es gibt numinose Motive (Wesselskis «Wahnmotive»), aber es gibt keine eigentlichen Wundermotive. Das Wunder ist die Spitze des isolierenden und sublimierenden Märchenstils. Jedes Motiv, das ins Märchen eintritt, wird damit virtuell zum Wundermotiv[163].

Das Märchen bevorzugt gewisse Motive, weil sie seinem Stil besonders angemessen sind. Es liebt Könige, Prinzessinnen, Waisen und Stiefkinder, glänzende Kleider und dürftige Bloßheit. Es beschenkt seinen Helden mit Ratschlägen und Gaben aller Art, besonders gerne mit solchen, die ihn mühelos über die Fläche der Märchenhandlung dahintragen. Gerne stellt es ihm Kontrastfiguren an die Seite. Das Geschehen stellt sich immer wieder als Brautwerbung dar, als Erwerb eines Königreiches, Erlösung Verwünschter, Kampf mit Ungeheuern, Lösung schwieriger Aufgaben, Übertretung von Verboten und Bedingungen. Aber keines dieser «Märchenmotive» ist dem Märchen notwendig. Es kommt auch ohne Kontrastgestalten aus, der Held braucht weder Prinz noch Bauerndummling, die Heldin weder Aschenbrödel noch Königstochter zu sein. Werbung, Hochzeit, Königtum können ebenso fehlen wie die Begegnung mit Jenseitswesen. Die wunderbare Fähigkeit des Helden kann das einemal die Gabe eines Jenseitigen sein, ein andermal haftet sie ihm wie selbstverständlich an; beides ist märchengemäß[164].

Grundsätzlich stehen dem Märchen stofflich alle Möglichkeiten offen. Gewisse Gestalten und Abläufe, die ihm naheliegen (sei es, daß sie Grundsituationen menschlichen Daseins verkörpern oder daß sie sich besonders willig dem abstrakt-isolierenden Stil einfügen), kommen immer wieder vor. Aber an ihre Stelle können jedesmal andere treten, ohne daß das Märchen deswegen an Echtheit verliert. Das helfende Tier hilft meistens aus Dankbarkeit für einen bald wichtigen, bald geringen Dienst; es kann aber auch ohne allen ersichtlichen Grund helfend eingreifen. Der Helfer kann, wie die Gabe, ohne ein Wort der Erklärung, aus dem Gesichtskreis verschwinden, sobald er seine Aufgabe erfüllt hat; er kann aber auch am Schluß vom Helden erlöst werden, oder das Märchen gibt uns einen Hinweis über sein Wesen und Schicksal. Der Unheld verschuldet sein Unglück durch irgendein Versagen oder eine schlechte Eigenschaft; oder er bleibt ohne jede Begründung unbegnadet. Der Held gelangt – auch innerhalb desselben Märchens[165] – im einen Fall durch Wahrhaftigkeit zum Erfolg, im andern Fall aber gerade durch Lügen. Den Drachen überwindet der Märchenheld mit fremder Hilfe (Zauberschwert, Tiere) oder aus eigener Kraft. Die scheinbar unlösbare Aufgabe wird meist durch zauberkundige Helfer bewältigt; mitunter aber einfach durch gewöhnliche Arbeiter[166]. In der Regel verhilft eine mitleidige Tat dem Helden zur wunderbaren Gabe, zuweilen aber gerade die Mitleidlosigkeit. Eine Erlösung kann umständlich angestrebt und durchgeführt oder ganz nebenbei und unbeabsichtigt vollzogen werden. Der Tierprinz wird gewöhnlich durch liebevolles Entgegenkommen erlöst, bisweilen aber gerade durch gefühllose Mißhandlung; die Vernichtung der Tierhaut bewirkt oder verhindert die Erlösung. Wahl und Handhabung der Gabe kann durch einen Rat bestimmt sein; aber auch ohne einen solchen handelt der Held mit untadeliger Sicherheit. Das einemal stehen Erscheinungsform und Funktion der Gabe sowie auch Gabe und Geber, Gabe und Empfänger in einem gewissen spezifischen Zusammenhang, ein anderesmal nicht. Der Held kann die Gabe vor oder nach der Aufgabenstellung empfangen, mit genauem Wissen, wozu sie ihm nötig, oder ohne die geringste Ahnung darüber. Dem Jenseitigen kann die Gabe des Diesseitigen wichtig oder unwichtig sein. Nachdem sie ihre besondere Aufgabe erfüllt hat, wird sie meist nicht mehr erwähnt; mitunter aber wird sie dem Geber zurückerstattet. Der Unheld (Bruder, Kamerad) erleidet für seine Treulosigkeit die Todesstrafe, oder er erhält einen Ministerposten, eine Prinzessin; oder wir erfahren überhaupt nichts über sein weiteres Ergehen. Das Öffnen der verbotenen Türe durch Held oder Unheld führt fast immer zunächst eine unheilvolle Wendung herbei; derselbe Ungehorsam kann aber auch einmal gerade das Geforderte sein und zum Heil führen[167]. Der Held kehrt am Ende zu seinem Ausgangspunkt (zu den Eltern, dem Auftraggeber) zurück, oder er landet an einem fernen, nie vorher gesehenen Punkte. So ist im Märchen «alles möglich». Jedes Element ist ihm willkommen. Es ist eine umfassende Form, die die Welt in sich hereinnimmt[168].

Das Märchen ist eine welthaltige Dichtung im eigentlichen Sinne des Wortes. Es ist nicht nur *imstande*, jedes beliebige Element sublimierend in sich aufzunehmen, sondern es spiegelt wirklich alle wesentlichen Elemente des menschlichen Seins. Schon das einzelne Märchen enthält meist die kleine wie die große Welt, private und öffentliche Geschehnisse, diesseitige und jenseitige Beziehungen. Nehmen wir aber vollends vier, fünf Erzählungen zusammen (fast jeder wirkliche Märchenerzähler verfügt über so viele), so tut sich die Fülle der menschlichen Möglichkeiten vor uns auf. Da sind die Ereignisse und Bezüge des Gemeinschaftslebens: Werbung, Verlobung, Hochzeit. Tod der Eltern, der Geschwister, des Freundes. Auseinandersetzung zwischen Kindern und Eltern oder andern nahen Verwandten (Stiefeltern, Schwiegereltern, Stiefgeschwistern, Schwägerinnen): von Verwöhnung, Fürsorge und treuer Hilfe über lieblose Härte, Nachstellung, Verleumdung, Verrat bis zur Aussetzung, zum blutschänderischen Anschlag, ja zum Mord durch Familienangehörige. Dazu kommt der Erwerb von Kenntnissen und Fähigkeiten, der Gewinn von Kameraden und Freunden, der Umgang mit Haustieren und wilden Tieren aller Art. Schwierigkeiten, Erfolge und Mißerfolge im Dienste eines Auftraggebers oder bei der Lösung wichtiger Aufgaben. Kampf mit Gegnern, Sich-Messen mit Nebenbuhlern. Verwicklung in politische Intrigen (Minister, Obersten setzen sich an die Stelle des Helden), Eingriff in große Schlachten. Der Held, die Heldin – Prinz oder Schweinejunge, Zarentochter oder Aschengrübel – erwerben sich Besitz, Herrschaft, Familie: in der sublimierten Form von Gold und Edelsteinen – Königreich – Prinzessin. Das Märchen berichtet von Gehorsam und Ungehorsam, Dulden und Verbrechen, Lohn und Strafe, Armut und Pracht, Glück und Unglück, Begnadung und Versagen. Dazu kommen die verschiedenen Arten menschlichen Verhaltens und Reagierens: gute und böse Handlungen, Taten und Gebärden des Mitleids wie der Hartherzigkeit, der Bescheidenheit und des Hochmuts, der Verzagtheit und der Unerschrockenheit. Die Figuren sehen wir bald in der Einsamkeit, bald im regen Kontakt mit der Umwelt.

Neben die diesseitige Welt tritt die jenseitige. Daß das Jenseitsmotiv im Märchen häufig ist, darf nicht verwundern. Die Auseinandersetzung mit einer ganz anderen Welt ist einer der wesentlichen Inhalte menschlichen Seins. In keiner der großen europäischen Menschheitsdichtungen fehlt das Totenreich. Homer, Vergil, Dante, Goethe, alle lassen ihren Helden die Unterwelt betreten[169]. Das einzelne Märchen kommt zuweilen ohne Jenseitsmotiv aus[170]. Dem Märchen als Gattung darf es nicht fehlen. Es nimmt in ihm, in sublimierter Form, einen hervorragenden Platz ein. Dies entspricht durchaus der Rolle, die das Numinose im wirklichen Leben spielt und von der uns die realistische Volkssage Zeugnis ablegt. Der Held des Märchens betritt jenseitige Reiche. Noch häufiger empfängt er die Hilfe jenseitiger Gestalten oder hat mit ihnen zu kämpfen. Sein Kontakt mit ihnen entspricht dem in der Wirklichkeit möglichen: dem magischen oder dem mystischen. Der Märchenheld zwingt dem Jenseits seine Gaben ab, oder er nimmt sie als Begnadeter einfach entgegen. Er erlöst dem Jenseits Verfallene (Verwünschte) oder vermählt sich selber mit einem jenseitigen Gatten. Er führt die entrückte Gemahlin in seine eigene Welt zurück oder tritt selber bleibend in ihr jenseitiges Reich. Auch zur Bewältigung diesseitiger Situationen benützt er die aus der Jenseitswelt ihm zuströmenden Kräfte.

Schließlich vereinigt das Märchen auch als Form die entscheidenden Pole des Seins: Enge und Weite, Ruhe und Bewegung, Gesetz und Freiheit, Einheit und Vielheit[171].

Enge und Weite: Der scharf geschlossenen Form aller Figuren, dem Rahmen, den das Märchen um die Vorgänge und Dinge legt (Zimmer, Fenster, Zaun, Turm, Schloß, Koffer), steht die weitausgreifende Handlung gegenüber; sie führt in fernste Fernen. Der Held erreicht im wörtlichen und im übertragenen Sinne unwirkliche Höhen: er klettert an «allmächtig hohen» Bäumen tagelang empor und gelangt so in fremde Städte; oder sein Weg führt ihn zu den Wolken. Der arme Bauernbub besteigt den Königsthron und heiratet die Prinzessin. Umgekehrt stürzen Königinnen und Prinzen jäh von ihrer Höhe in den Abgrund. Der Held gelangt in die Tiefen des Meeres, der Hölle, der Unterwelt. Die *Ruhe* des Märchens liegt in der Bestimmtheit, Klarheit, Eindeutigkeit und Festigkeit seiner Form begründet. Nicht nur die Träger der Handlung sind scharf umrissene Figuren (Personen wie Dinge), sondern die Handlungslinie selber ist bestechend rein und sicher gezogen. Die Handlung schreitet rasch und entschlossen voran. In weit ausgreifender *Bewegung* werden die Figuren über die Handlungsfläche dahingetragen. Sie erscheinen trotz ihrer Formstarrheit als lebendig. Ihre leichte Beweglichkeit, ferner jenes andere: daß im Märchen alles Denkmögliche wirklich werden kann, erweckt den Eindruck größter *Freiheit*. Doch ist diese Freiheit nicht Willkür. Strenge *Gesetze* beherrschen die Märchenform. Die Märchen sind nicht Ausgeburten wilder Phantasie; sie folgen in der Motivwahl wie in der Formgebung verpflichtender Gesetzlichkeit, die sie aber, wie jedes echte Kunstwerk, frei erfüllen. Denn nur in der Erfüllung dieser Gesetze verwirklicht das Märchen sich selber. Die konkrete *Vielheit* fängt das Märchen als formelhafte Pluralität auf. Zweizahl, Dreizahl, Siebenzahl, Zwölfzahl, Hundertzahl der Dinge, Gestalten, Zeiten (Tage, Jahre); Zweizahl und Dreizahl der Episoden oder Handlungsteile (vgl. oben S. 32ff., 64, ferner Anm. 154). So bindet die Formel die Vielheit zur *Einheit*. Dazu kommt die Tendenz zur Einsträngigkeit, zur Einheit des Helden, der Handlung, und die Zielstrebigkeit des Märchens. Sie schenken der Vielzahl der Figuren und Episoden die feste Mitte.

Die Elemente, die das Märchen erfüllen, stehen für die Sphären, aus denen sie stammen. Sie stellen sie vor; aber sie stellen sie freilich nicht dar. Denn sie tragen die inneren und atmosphärischen Merkmale der Welt, in der sie gewachsen sind, nicht mehr an sich. Sie sind im Märchen zu klaren, schwerelosen Bildern geworden. Erdnahes Bauerntum und höfisches Sittengesetz, Liebe und Haß, profane Verwirrung und numinose Erschütterung, Willensanstrengung und Seelenstimmung, sie alle sind verflüchtigt, vergeistigt, entwirklicht. Der Schweinehüter kann ohne Anstand sofort König werden; denn sein bisheriges Milieu, seine bisherige Entwicklung haben sein Gesicht nicht geprägt. Die Märchenfigur ist keiner bestimmten Umgebung verpflichtet und an kein individuell entwickeltes Inneres gebunden. Gerade deshalb kann sie jede beliebige Verbindung eingehen und in jedes Spiel eintreten. Die einheitliche Stilisierung stellt Profanes und Numinoses: Diesseitige und Jenseitige, Hohes und Niedriges: Prinzessinnen und Bauernburschen, Gewohntes und Fremdes: die eigenen Brüder und ganz unbekannte Gestalten einander in derselben Form und ohne Abstand gegenüber. So schafft die sublimierende Isolierung innerhalb des Märchens die Möglichkeit des «freien» Zusammenspiels (vgl. oben S. 69). Sie ist aber zugleich die Voraussetzung dafür, daß das Märchen überhaupt die Welt umfassend in sich aufnehmen kann. Auf keine andere Weise könnte die epische Kurzform des Märchens welthaltig werden. Jede realistische, individualisierende Darstellung müßte zum Verzicht auf Universalität nötigen. Welch hohe Kunstform wir im Märchen vor uns haben, sehen wir an der Überlegenheit, mit der es diese Notwendigkeit für sich zu einem doppelten Vorzug werden läßt: Die entmachteten Motive gewinnen Transparenz und Leichtigkeit. Sie werden nicht nur rein, klar, leuchtend, sondern auch mühelos kontaktfähig. Dabei vertreten sie trotz ihrer Sublimierung immer noch die vielfältigen Möglichkeiten wirklichen Seins. Sie sind selber zwar keine Realitäten mehr; aber sie repräsentieren sie. In den Glasperlen des Märchens spiegelt sich die Welt.

Einige Motive des Märchens
[Gemeinschaftsmotive]

Magie = Anspannung der Seele
≠ Mühe

Begegnung aber kein Erlebnis
des Jenseitigen!

Riten, Sitten, Gebräuche

sexuellen + erotischen Stoffkerne
(= oft Motive des Märchens:
ein Kind bekommen ...)
Liebeskrankheit) unerotisch

Typen ≠ Figuren (reiner Handlungsträger; -Eigenschaften

Über den Tod!
"Alles Möglich"

Form des Märchens.

Es stellt sich die Frage nach Sinn und Funktion des Märchens im Gefüge des menschlichen Daseins. Ihre Beantwortung kann nur der Zusammenarbeit mehrerer Wissenschaften gelingen. Neben die Forschung des Literaturwissenschaftlers tritt die der Volkskunde, der Psychologie, der Religions- und Mythenkunde, der Soziologie. Auch die Kunstgeschichte muß befragt werden.

Eine umfassende Beantwortung der Fragen nach Funktion, Entstehungsart und Entstehungszeit des Märchens ist heute noch nicht möglich. Hier soll das ausgesagt werden, was die Gestalt des Märchens uns darüber verrät.

Denn vom *Gesichte* des Märchens muß sich seine Funktion ablesen lassen. Die Gestalt eines Kunstgebildes von so außerordentlicher Verbreitung ist von zwei Seiten her bestimmt. Sie ist abhängig von der Art seiner Schöpfer und Pfleger; zugleich aber, und dies ist ungleich wesentlicher, von den Bedürfnissen der Hörer. Nur eine Form, die diesen Bedürfnissen entspricht, konnte zu solcher Beliebtheit und zu so umfassender Verbreitung gelangen wie das Märchen. Die Gestalt des Märchens muß seiner Funktion angemessen sein. Also ist die Funktion aus der Gestalt wenigstens annäherungsweise zu erschließen.

Welches sind die menschlichen Bedürfnisse, die das Märchen, kraft der ihm eigenen Wesensart, befriedigt? Was schenkt das Märchen seinen Hörern?

«Ausschließlich Unterhaltung[172]» war lange Zeit die Antwort der Märchenforschung. Sie entsprang der richtigen Erkenntnis, daß das Märchen, im Gegensatz zur Sage, reine, tendenzlose Dichtung ist[173]. Aber echte Dichtung will mehr als bloß unterhalten. Der Ausdruck «Unterhaltung» soll nicht gepreßt werden; nicht jeder, der ihn verwendet hat, darf auf den engen Wortsinn verpflichtet werden. Aber es muß doch erstaunen, mit welcher Beharrlichkeit seit Benfeys Zeiten immer und immer wieder betont worden ist, das Märchen wolle «nur unterhalten[174]». Ein solcher Sprachgebrauch entspricht jener Auffassung, die in den Märchen «phantastisch törichte Geschichten» sieht, deren Hauptwert für uns darin bestehe, daß sie uns Bruchstücke der «Weltanschauung urtümlicher Menschheit» aufbewahren. «Was auf den ersten Blick eine lächerliche Erfindung schien, wird in solcher Beleuchtung zu einer ernsthaften Geschichtsquelle[175].»

Den Literaturwissenschaftler interessiert das Märchen nicht als Geschichtsquelle, sondern als Erzählung. Es geht ihm um die Erfassung von Wesen und Funktion dieser Erzählungsform.

Das Märchen ist eine welthaltige Abenteuererzählung von raffender, sublimierender Stilgestalt. Mit irrealer Leichtigkeit isoliert und verbindet es seine Figuren. Schärfe der Linien, Klarheit der Formen und Farben vereinigt es mit entschiedenem Verzicht auf dogmatische Klärung der wirkenden Zusammenhänge. Klarheit und Geheimnis erfüllen es in einem. Was hat ein so beschaffenes Gebilde für eine Stelle im Gefüge des menschlichen Seins?

Die volksmündliche Epik scheidet sich in einige wenige Typen von Erzählungen. Seit je leben nebeneinander einfache Erinnerungserzählungen, Klatsch- und Witzgeschichten, Sagas (Familiengeschichten, Hof- und Erbschaftsgeschichten), Sagen, Legenden, Mythen und Märchen[176]. Alle Wirklichkeit, auch die unscheinbare, nebensächliche, drängt danach, Sprache zu werden. Wenn untergeordnetes oder nur von außen gesehenes menschliches Geschehen berichtet wird, teils um seiner selbst willen, teils, um an irgendeinem «ethischen» Maßstab gemessen zu werden, so entsteht die *Klatschgeschichte*. Der *Witz* dagegen freut sich an der Durchbrechung gültiger Gesetze, an der Verkehrung der Maßstäbe, an der Herstellung grotesker Beziehungen. Die *Saga* lebt von der Familien-Pietät; die Familie ist ihre Welt, von ihr aus sieht, deutet, beurteilt sie alles. Die *Sage* berichtet das Außerordentliche, Seltsame, Unerhörte; sie läßt sich ergreifen vom einzelnen Geschehnis, sie erlebt und sieht es als etwas Bedeutendes und stellt es als solches dar; sie versucht Zusammenhänge aufzuzeigen, gibt aber keine endgültigen Antworten wie die *Legende*, welche das einzelne Geschehnis eindeutig in einen dogmatischen Zusammenhang einordnet. Die *Mythe* führt die wesentlichen, stetig sich wiederholenden Abläufe der Wirklichkeit bildlich auf einen einmaligen grundsätzlichen Vorgang zurück; einen Vorgang, der zum Geschick wird. Das *Märchen* aber greift die von diesen einfachen Erzählformen herausgearbeiteten Motive auf, sublimiert sie und läßt sie Glieder werden einer weit ausgreifenden Erzählung, die viele Episoden umfassen kann und doch zielstrebig bleibt.

Alle anderen Erzählformen lassen sich leicht und ohne Zwang auf ein Grundbedürfnis der menschlichen Seele, eine einheitliche «Geistesbeschäftigung», wie André Jolles es nennt, zurückführen. Das Märchen wächst über sie alle empor; seine Funktion ist nicht sogleich erkennbar.

Nicht von ungefähr hat man das Märchen immer wieder mit der Sage und der Legende verglichen. Diese drei Formen übertreffen die anderen entweder an Verbreitung und Mannigfaltigkeit oder an Gewicht. Die

Sage, wenn sie in der abendlichen Gemeinschaft erzählt wird, hebt sich aus den gewöhnlichen Geschichten als etwas Besonderes heraus[177]; Märchen und Märchenerzähler stehen in besonderem Ansehen[178]; der Legende eignet die Weihe des Religiösen. Die drei Gattungen laufen jahrhundertelang nebeneinander her, ohne daß eine eigentliche Vermischung eintritt; von gelegentlichen Zwitter- und Mischformen abgesehen, halten die Stile sich rein. Jede der drei Formen hat ihr eigenes Daseinsrecht und ist zugleich eine Ergänzung der anderen.

Die Sage spricht uns von bedeutsamem Geschehen und bedeutsamen Gestalten. Sie erwächst aus erregendem Erleben, sie glaubt ursprünglich an die Wirklichkeit des Erzählten, sie ist Wissenschaft und Dichtung in einem, das heißt sie ist keines von beiden rein, sondern ein vorwissenschaftlich-vordichterisches Gebilde, komplex, primitiv[179]. Sie entsteht im Volke; heute noch können neue Sagen sich bilden. Die einzelne Gestalt, das einzelne Phänomen sind ihr Gegenstand; ihre Darstellung ist individualisierend und realistisch. Den Einbruch einer ganz anderen Welt, von dem sie besonders gerne berichtet, erzählt sie erschüttert oder belustigt. Sie gibt ihn ohne Deutung oder sucht ihn zu deuten, aber ihre Deutung ist tastend, empirisch, wechselvoll. Sie sieht den Menschen wie den Jenseitigen vor allem als den Preisgegebenen, den Gequälten oder Quälenden, den Frevler oder den Genarrten. Unverstanden, unsicher gedeutet, ragt das Ganz Andere in unsere Welt hinein. Die Dinge werden im Tiefsten erlebt, aber geistig nicht bewältigt.

Die Legende hingegen gibt allen Dingen ihren Sinn. Sie bezieht sie alle auf ein und denselben Mittelpunkt, auf Gott. Die Sage verwirrt, belustigt, ängstigt, erregt den Menschen, die Legende klärt und festigt. Die Sage stellt Fragen, die Legende gibt Antworten. Aber ihre Antwort ist dogmatischer Art. Sie systematisiert die jenseitigen Erscheinungen und Einflüsse und teilt ihnen eine inhaltlich eng festgelegte Bedeutung zu. Die Legende mag im Volke entstehen, aber nicht unmittelbar, sondern unter dem Einfluß kirchlicher Belehrung. Die Kirche ist es auch, die die Legenden sammelt, pflegt und verbreitet[180].

Frei von solchen Fesseln ist das Märchen. Es kennt weder die Bindung an die Wirklichkeit noch die Bindung an ein Dogma. Es haftet auch nicht an einem einzelnen Ereignis oder Erlebnis, alles Einzelne ist ihm nur Baustein. Das Märchen braucht nicht die Unterstützung der Kirche; es lebt selbst gegen ihre Feindschaft. Und doch gibt auch es in seiner Weise eine Antwort, und eine tief beglückende Antwort, auf die brennenden Fragen menschlichen Seins.

Im Märchen wird, zum erstenmal vielleicht, die Welt dichterisch bewältigt. Was in der Wirklichkeit schwer ist und vielschichtig, unübersichtlich in seinen Bezügen, wird im Märchen leicht und durchsichtig und fügt sich wie in freiem Spiel in den Kreis der Dinge. Wo wir in der Wirklichkeit Teilabläufe sehen und kaum verständliche Schicksale, stellt das Märchen eine in sich selber selige Geschehenswelt vor uns, in der jedes Element seine genau bestimmte Stelle hat. Auch im Märchen sehen wir nicht «hinter die Dinge»; nur die handelnden Figuren erblicken wir, nicht ihr Woher und Wohin, nicht ihr Warum und Wozu. Aber wir sehen, sie treten immer genau an der richtigen Stelle in den Verlauf der Handlung ein und verschwinden, sobald nichts Wichtiges mehr zu tun bleibt für sie. Die alles begründenden Gesamtzusammenhänge werden ebensowenig ins Licht gerückt wie in der Wirklichkeit; das Hintergründige bleibt unbeleuchtet. Aber das, was sich auf dem beleuchteten Vordergrund abspielt, ist so klar gezeichnet und stimmt so rein mit sich selber zusammen, daß eine beglückende Sicherheit von der Darstellung ausströmt. Der Mensch, der sich in eine Welt geworfen sieht, die ihn bedroht und deren Sinn er nicht erkennt, der Mensch, der in der Sage die Gespenster dieser unheimlichen Welt aus lyrischer Erschütterung erbildet, dieser Mensch erlebt in der ruhigen epischen Schau des Märchens die Verklärung eben dieser seiner Welt. Und die Antwort, die dem leidenden und bang fragenden Menschen im Märchen wird, sie ist überzeugender und ewiger als die der Legende. Denn die Legende will *erklären*, sie will aufrichten, man spürt die Absicht. Sie fordert engen Glauben an die Wirklichkeit des Erzählten wie an die Richtigkeit der Deutung. Das Märchen aber fordert gar nichts. Es deutet und erklärt nicht, es schaut nur und stellt dar. Und diese traumhafte Schau der Welt, die nichts von uns fordert, keinen Glauben und kein Bekenntnis, sie ist sich selber so selbstverständlich und wird mit solcher Notwendigkeit Sprache, daß wir uns beglückt von ihr tragen lassen. In diesem Sinne machen die Märchen wirklich sich selber; Legenden aber werden absichtsvoll zubereitet, sei es nun zur Selbstbestärkung oder zu Stärkung anderer[181]. Während bei der Legende die Forderung des Glaubens auch die Möglichkeit, ja die Unvermeidlichkeit des Zweifels in sich schließt, vertrauen wir uns der reinen, tendenzlosen Märchendichtung willig an. Die Legende will Wesen und Sinn der jenseitigen Kräfte (und damit auch des diesseitigen Geschehens) endgültig und verpflichtend erklären. Das Märchen läßt sie unerklärt, zeigt aber ihr sicheres und sinnvolles Wirken. Gerade dieser Verzicht erwirbt ihm unser Vertrauen. Wie der Held des Märchens sich durch unbekannte Dinge und Gestalten bewegen und führen läßt, ohne nach ihrem Wesen und ihrer Herkunft auch nur zu fragen, so lassen wir uns die Lebenshilfe, die das Märchen uns schenkt, dankbar und ohne Widerstand gefallen.

Das Märchen schaut und zeichnet eine Welt, die sich uns als das Gegenbild der unbestimmten, verwirrenden, unklaren und bedrohlichen Wirklichkeit entwickelt (vgl. unten S. 84f.). Wenn die Mannigfaltigkeit des Wirklichen ständig in Auflösung überzugehen bereit ist, wenn die Formen in der Wirklichkeit erblühen und verwelken, und wenn die realistische Sage nicht müde wird, dieses Werden und Vergehen darzustellen (vgl. oben S. 13): das Märchen kristallisiert die Formen, es gibt uns die sichere Linie und die feste, starre Figur. Aber nicht in toter Ruhe, sondern in zielstrebiger Bewegung. Seine Gestalten und Dinge verwelken nicht; sie können sich mit scharfer Entschiedenheit in andere Gestalten, andere Dinge verwandeln, aber sie schwinden nicht dahin, sie lösen sich nicht auf. Seine Handlungen brechen nicht ab und verlieren sich nicht: rein und sicher erreichen sie ihr bestimmtes Ziel. Hinter den werdenden und welkenden Formen der verweslichen Wirklichkeit stehen unveränderlich, in sich unbewegt und doch wirkend, die reinen Formen. Das Märchen gibt uns ihr Bild.

«Wunschdichtung» ist das Märchen nur in einem sehr besonderen Sinne. Sein Absehen geht keineswegs dahin, uns die mühelose Befriedigung primitiver Wünsche zu zeigen. Von Brot und Käse, die immer wieder nachwachsen, vom Garnknäuel, das sich niemals ganz abwickelt, von Schätzen und Arbeitshelfern, die der Mensch sich erwirbt, erzählt die Sage, nicht das Märchen. Die Wichtelchen, die über Nacht die Arbeit des Handwerkers oder der Hausfrau besorgen, die Fänggingen, die dem Sennen auf der Alp Gesellschaft leisten, die Hausgeister, die Glück und Segen über Herd, Stall und Feld bringen, sie allerdings entspringen dem Wunschtraum einfacher Leute. Was schwer und mühsam täglich erarbeitet werden muß, das läßt das sagenbildende Volk sich von Jenseitigen schenken. Das Märchen aber träumt nicht von der Befriedigung alltäglicher Bedürfnisse. Es stellt seinen Helden vor große Aufgaben, schickt ihn in ferne Gefahren, und sein Interesse ruht nicht eigentlich beim Schatz, beim Königreich, bei der Gemahlin, die schließlich gewonnen werden, sondern beim Abenteuer an sich. Nur die Unhelden, die älteren Brüder, geben sich zufrieden, wenn sie einen Berg voll Silber oder voll Gold finden, den Helden treibt es weiter, ins Abenteuer[182]. Gaben empfängt der Märchenheld zur Bewältigung der entscheidenden Aufgaben, nicht zum dauernden bequemen Gebrauch. Was das Märchen seinen Figuren wirklich schenkt, sind nicht Dinge, sondern *Möglichkeiten.* Es führt sie dahin, wo es etwas zu leisten gilt; und dem, den es zu solcher Leistung bereit findet, läßt es dann auch seine Hilfen zufließen, aber nur ihm. Die Gabe verwirklicht sich genau an dem Punkt, wo Held und Aufgabe zusammentreffen, vorher und nachher ist sie nicht im Spiel. Sie dient nicht der Linderung ökonomischer Not, sondern stößt den Helden ins Abenteuer oder leitet ihn darin. Sie läßt ihn das wesentliche Schicksal finden und erfüllen. Daß man vom Märchen sagen konnte, es sei der Traum der «Unmächtigen, Armen, Gedrückten, denen ein Bewältigen der Welt durch Handeln fremd ist[183]», ist kaum begreiflich. Der Märchenheld ist aktiv und unternehmend, er ist ein Wandernder und Handelnder, im Gegensatz zum ruhenden und grübelnden Menschen der Sage. Aber das Märchen weiß, daß im Handeln zur eigenen Aktivität die Begnadung treten muß: Anstoß und Hilfe. Keiner ist seines Glückes einziger Schmied. Das Märchen wegen seiner «Wunschdinge» für «Armeleutedichtung» zu halten, es «den untersten Schichten des Volkes» *entstammen* zu lassen, wie Mackensen und Berendsohn es tun[184], ist nicht schlüssig. Es ist seiner ganzen Art nach nicht «Träger der Sehnsüchte des einfachen Mannes[185]», es ist eine Schau von weit allgemeinerer Bedeutung (vgl. unten S. 82ff.).

Das Märchen kann auch nicht einfach Seinsollensdichtung genannt werden. Seine Absicht ist es nicht, uns zu zeigen, wie es *zugehen sollte* in der Welt. Es vermeint vielmehr zu erschauen und Wort werden zu lassen, wie es in Wahrheit *zugeht* in dieser Welt. Es möchte nicht eine bloß mögliche Welt zeigen, eine Welt, wie wir sie wünschen oder wie wir sie fordern. Es will nicht ein Ideal erbilden. Sondern es stellt mit wirklicher Gläubigkeit die Welt so dar, wie sie sich seinem Blicke offenbart. In seiner Schau werden die Dinge leicht, schwerelos, durchsichtig, der trügerische Schleier der äußeren Wirklichkeit fällt. Was in ihr vielschichtig verflochten ist und gegenseitig sich fesselt, erscheint im Märchen in seiner letzteigentlichen Isoliertheit und universalen Beziehungsfähigkeit.

Das Märchen enthält in sich das Antimärchen[186]. Neben dem Helden stehen die Unhelden, die Versager, und der Held selber kann an einzelnen Punkten seiner Bahn unangemessen handeln. Ja es gibt Vorformen und Splitterformen des Märchens, die das Versagen oder den Untergang gerade der Hauptfigur zeigen. Aber selbst dort, wo der Held dauernd sich verfehlt und endlich aus der Gnade fällt, wie das Patenkind des Todes oder des Fischers Frû, steht doch die grundsätzliche Möglichkeit des fruchtbaren Kontaktes mit den Mächten als das Beherrschende vor uns[187]. In seinen Vollformen kommt das Märchen wie von selber dazu, diesen glücklichen Kontakt als existent darzustellen. Das Märchen erfüllt nur sich selber, wenn es die durch die Isolation

!?

geschaffene umfassende Beziehungsmöglichkeit wirklich werden läßt. Deshalb steht in der Vollform des Märchens ganz natürlicherweise der kontaktsichere Held im Zentrum. Mit Recht hat man seine Partner als bloße Kontrastfiguren, Helfer oder Gegner bezeichnet, deren Daseinsrecht sich von ihrer Beziehung zum Helden herleitet. Nur sind dabei die Nebenfiguren doch zu sehr abgewertet, der Held aber überwertet worden. Auch der Held nämlich ist nichts weiter als eine Figur. Auch er interessiert nicht an sich, sondern, genau wie die Nebenfiguren, nur als Träger der Handlung[188]. Innerhalb dieser Handlung aber bewahren die Nebenfiguren, über ihre notwendige Beziehung zum Helden hinaus, eine gewisse Eigenständigkeit. Sie vertreten, wie übrigens auch die Fehlhandlungen des Helden selber, wichtige Seinsmöglichkeiten, die im welthaltigen Märchen nicht nur Beziehungs- oder Kontrastsinn haben, sondern grundsätzlich nicht fehlen dürfen. Held, Unheld, Helfer und Gegner sind integrierende Teile der Weltschau, die das Märchen gibt.

Das Märchen entspringt nicht dem Wunsche, sich die Welt zu verschönern, zu verklären. Sondern die Welt verklärt sich ihm von selber. Das Märchen *sieht* die Welt so, wie es sie zeichnet. Das Schreckliche ist in seinem Gefüge nicht ausgeschaltet, aber es ist ihm wie allem anderen seine ganz bestimmte Stelle angewiesen, so, daß alles in Ordnung ist. Und in diesem, nur in diesem Sinne darf man das Märchen Wunschdichtung nennen. Es stellt uns eine Welt dar, die in Ordnung ist, und befriedigt damit den letzten und ewigen Wunsch des Menschen. Es will eine echte Befriedigung dieses Wunsches sein, nicht eine Ersatzbefriedigung. Es meint nicht zu erfinden, was in der Wirklichkeit nicht ist und niemals sein kann, sondern es sieht die Wirklichkeit durchsichtig und klar werden. Es gaukelt uns nicht eine schöne Welt vor, an der wir uns für Augenblicke, alles andere vergessend, erlaben mögen. Sondern es glaubt, daß die Welt so ist, wie es sie sieht und schildert[189].

Weil diese Schau und Schilderung sich mit Notwendigkeit vollzieht, weil sie sich von selber macht, dürfen wir das Märchen nicht Tendenzdichtung nennen. Es erzählt absichtslos, was sich seinem dichterischen Blick darstellt.

Seinsollensdichtung ist das Märchen nicht in dem Sinne, daß es uns eine bloß mögliche Welt hinstellt, die im Gegensatz zur wirklichen Welt so ist, wie sie sein soll, und an der die wirkliche Welt gemessen wird. Das Märchen zeigt uns nicht *eine* Welt, die in Ordnung ist, es zeigt uns *die* Welt, die in Ordnung ist. Es zeigt uns, *daß* die Welt so ist, wie sie sein soll. Das Märchen ist Seinsdichtung und Seinsollensdichtung in einem.

André Jolles betont zu Recht, daß es im Märchen nicht um eine

Ethik des Handelns geht. Die bestimmende Qualität des Märchenhelden ist nicht Tugend. Aber Jolles stellt der Ethik des Handelns («Was muß ich tun?») eine «Ethik des Geschehens» gegenüber, «die antwortet auf die Frage: ‹Wie muß es zugehen in der Welt?›» «Diese Erwartung, wie es eigentlich in der Welt zugehen müßte, ... ist die Geistesbeschäftigung des Märchens.» Im Märchen liegt «eine Form vor ..., in der das Geschehen, der Lauf der Dinge so geordnet sind, daß sie den Anforderungen der naiven Moral völlig entsprechen, also nach unserem absoluten Gefühlsurteil ‹gut› und ‹gerecht› sind[190]». Diese Jollessche Bestimmung des Märchens, in der der Ausdruck «gut» kaum etwas anderes ist als ein Synonym von «gerecht», ist zu eng. Dem Märchen geht es um weit Umfassenderes als um Befriedigung des naiven Gerechtigkeitsgefühls. Abenteuer, Aufgaben, Möglichkeiten, Gefahren und Hilfen, Versagen und Bestehen, Fähigkeit und Unfähigkeit, all dies ist ihm um seiner selbst willen wichtig und nicht nur als Mittel, das Walten der Gerechtigkeit darzutun. Die Welt der Figuren, die das Märchen uns schenkt: von den Gestirnen und Mineralien über die geformten Dinge zu Blume, Tier, Mensch und Geistwesen ist in ihrem ganzen Reichtum in sich selber ein Wert, und was sie zusammenhält, ist nicht die «Gerechtigkeit im Geschehen», sondern die *Richtigkeit des Geschehens* überhaupt. Es hieße viel unnützen Aufwand treiben, wenn das Märchen die ganze feingliedrige Gesetzmäßigkeit, über die es verfügt, nur deshalb überall so peinlich verwirklichte, um die «Gerechtigkeit im Geschehen» zu erweisen. Sie könnte mit näherliegenden und einfacheren Mitteln überzeugender zur Darstellung gebracht werden, als es im Märchen geschieht: mit den Mitteln der pseudorealistischen Erzählung. Diese täuscht dem naiven Menschen das, was er in der Welt der Erfahrung schmerzlich vermißt, als wirklich vor. Er kann sich mit dem Helden identifizieren, und das happy end gewährt ihm Ersatzbefriedigung des Genuß- wie des Gerechtigkeitsbedürfnisses. Das Märchen aber verzichtet von vornherein darauf, Teilbedürfnisse zu befriedigen. Es geht nicht auf Täuschung aus. Seine abstrakte Darstellung läßt uns keinen Augenblick im Zweifel darüber, daß es Wesentlichkeit darstellen will, nicht Wirklichkeit.

Für Jolles ist das *Wunderbare* im Märchen nichts weiter als «die einzig mögliche Sicherheit, daß die Unmoral der Wirklichkeit aufgehört hat». Hier zeigt sich die Unzulänglichkeit seiner Auffassung besonders deutlich. Die realistisch aufgezogene Erzählung mit happy end kann auf alles Jenseitige verzichten und doch die «Gerechtigkeit im Geschehen» mühelos und überzeugend darstellen. Das Märchenwunder aber verliert, wenn es zum bloßen Garanten der naiven Moral herabsinkt, all seinen Zauber. Es leuchtet in seinem ganzen Zauber auf, wenn es als Bildwerdung der Isolation und Allverbundenheit erfaßt wird (vgl. oben S. 55f.). Das Märchen liebt das Wunder als Wunder; es läßt es durchaus nicht nur dort spielen, wo es zur Darstellung der «Gerechtigkeit im Geschehen» nötig oder wenigstens förderlich scheint, sondern überall und immer wieder: denn es ist ihm der strahlendste und eindeutigste Ausdruck der alles durchdringenden Isolation und Allverbundenheit. «Gerechtigkeit im Geschehen» ist nur ein Teilanliegen des Märchens, nicht seine letzte Absicht. Es geht dem Märchen vielmehr darum, den wunderbaren Kontakt des in Abenteuer und Aufgaben geworfenen Helden mit den Wesensmächten des Seins darzutun: reich, in vielen Wiederholungen und Variationen. «Gerechtigkeit» und glücklicher Schluß sind nur deshalb mit dem Märchen untrennbar verbunden, weil sie die notwendige Konsequenz dieses Kontaktes sind.

Ebenso einseitig und ungenügend ist Jolles' Erklärung des Fehlens von Ort- und Zeitangaben im Märchen. Nach ihm verzichtet das Märchen auf sie wie auf die Nennung historischer Personennamen nur, weil historische Örtlichkeit, Zeit und Person sich «der unmoralischen Wirklichkeit» nähern. Für uns ist die Abwesenheit aller drei ein integrierender Bestandteil des abstrakten, isolierenden Stils. Dieser aber ist nicht Mittel zu irgendeinem Zweck, sondern die Lebensform des Märchens. Sie ist natürlich gewachsen und übt auf die Märchenhörer eine starke künstlerische Wirkung aus. Sie oder einzelne ihrer Teile als bloße Mittel zur Befriedigung der naiven Moral anzusehen, würde eine unverzeihliche Verarmung in der Auffassung des Märchens bedeuten.

André Jolles begreift das Märchen nicht als Wesensbild der wirklichen Welt, sondern als Kontrastbild zu ihr. Die in ihm wirksame «Geistesbeschäftigung» verneint «die Welt als eine Wirklichkeit, die der Ethik des Geschehens nicht entspricht, anderseits gibt sie bejahend eine andere Welt, in der alle Anforderungen der naiven Moral erfüllt werden». Auf solche Weise erniedrigt Jolles das Märchen zur Ersatzphantasie. Das Märchen steht nicht, wie er meint, «im schärfsten Gegensatz» zur wirklichen Welt, es sieht vielmehr diese Welt transparent werden, es meint ihr eigentliches Wesen zu erschauen, und mit tiefem Vertrauen schenkt es uns seine Wesensschau. Eine Wesensschau, an die es selber glaubt. Jolles spürt diesen Glauben des Märchens an sich selber nicht, und so wird ihm das Märchen zur bloßen Wunschdichtung. Zutreffend scheint mir dagegen die Formulierung Robert Petschs: «Deutlich empfindet das Volk die Tatsache, daß hier die Welt dargestellt wird, wie sie eigentlich sein sollte, und wie sie (in der optimistischen Betrachtung, die sich im Märchen ausspricht) *wohl auch im tiefsten Grunde wirklich ist*[191].» Was unmittelbar nur ein Schauspiel für einen unendlichen Geist sein kann, das Märchen macht es zu einem Schauspiel für endliche Geister[192]. Gegenbild der Wirklichkeit ist das Märchen, seinem eigenen Glauben nach, nur als Kontrastbild zur äußeren, nicht aber zur eigentlichen Wirklichkeit (vgl. oben S. 80f.). Diese vermeint es vielmehr gerade zu schauen und zu zeichnen. Das Märchen fühlt und gibt sich selber als Wesensschau der Wirklichkeit.

Die eingehende Auseinandersetzung mit André Jolles war nötig, weil die Märchenforschung gerade diesem Gelehrten zu großem Dank verpflichtet ist. Die Bestimmung der das Märchen bildenden «Geistesbeschäftigung» als Verwirklichung der Bedürfnisse naiver Moral ist inhaltlich zu eng und muß deshalb abgelehnt werden. Aber methodisch hat Jolles in doppelter Hinsicht Entscheidendes geleistet. Einmal dadurch, daß er mit letztem Ernst die Frage nach der im Märchen wirksamen «Geistesbeschäftigung» stellte, daß er das Märchen überhaupt als Ausdruck einer bestimmten Geistesbeschäftigung zu betrachten wagte. Damit war scharf Stellung bezogen gegen die Formel der «bloßen Unterhaltung». Und ferner verlor sich Jolles in seinem Bestreben, die gesuchte Geistesbeschäftigung zu bestimmen, nicht an die Motive, sondern er faßte das Märchen als Ganzes[193]. Damit machte er den Weg frei zu einer Analyse der Form Märchen als solcher. Herkunft, Geschichte und Gehalt der einzelnen Motive sagen noch nichts aus über den letzten Sinn der Form Märchen. Jedes einzelne Element des Märchens, also zum Beispiel das Märchenwunder, muß sich aus dem Wesen der Erzählung Märchen verstehen lassen und nicht nur als Relikt urtümlicher Sitte oder Erlebnisweise.

Als Erzählung schenkt das Märchen Unterhaltung und Existenzerhellung in einem. Es verlangt keinen Glauben an eine äußere Realität des Erzählten, ja es verbietet ihn; der abstrakte Stil und manche ironischen Schluß- oder Einleitungssätze lassen uns fühlen, daß Märchenwelt und äußere Realität sich grundsätzlich scheiden und niemals ineinander übergehen. Es gibt uns auch nicht bewußte Weltdeutung. Es erklärt und deutet nicht, wie Sage und Legende es tun, es verzichtet konsequent auf jede Systematik (s. oben S. 44, 57–60.). Es stellt nur dar. Aber als echte Dichtung verlangt es den Glauben an die innere Wahrheit des Dargestellten. Es gibt sich nicht als müßiges Spiel, sondern läßt ein Welterlebnis Bild werden.

Robert Petsch, der das Wesen der epischen Dichtung in einer «Verwebung des Abenteuerlichen mit dem Sinnvollen» sieht, hat das Märchen als «Urform menschlicher Erzählungskunst» bezeichnet[194]. Und in der Tat erweist sich das Märchen als reine epische Schau. Wenn die Sage aus innerer Bewegung geboren wird: das Märchen erwächst aus der inneren Ruhe. Nur weil der Märchenbildner selber unbewegt ist, vermag er Bewegtes rein und sicher zu sehen und darzustellen. Das epische Licht, die epische Heiterkeit erfüllen das Märchen. Epische Bewegung und epische Klarheit, beide in schärfster Ausprägung, verbinden sich in ihm. Die relative Selbständigkeit der Episoden (s. oben S. 38ff.), die relative Belanglosigkeit des Schlusses (s. oben S. 18, 53), beides sind epische Phänomene[195]. Die Stumpfheit vieler Motive bezeugt ihr Eigengewicht, sie sind um ihrer selbst willen da, als Repräsentanten irgendeines Teils der Welt. Die Welthaltigkeit des Märchens bedeutet Erfüllung des epischen Strebens nach Weltschau und Weltdarstellung. Durch die entleerende Sublimierung der Motive stellt das Märchen die epische Objektivität her. An Stelle der epischen Breite aber, die keinen Wesenszug, sondern nur eine Möglichkeit des Epischen bildet, herrscht im Märchen die epische Knappheit.

Die abstrakte Zeichnung des Geschehens und der Figuren verleihen dem Märchen Klarheit und Sicherheit. Die leichte Bewegung, das rasche Fortschreiten der Handlung, das Wandern des Helden geben ihm die freie Leichtigkeit. Gebundenheit und Freiheit, Sicherheit und Bewegung, feste Form und leicht fortschreitende Handlung verbinden sich im Märchen zur künstlerischen Einheit und üben auf den Hörer eine magisch-formgebende Wirkung aus. Das Märchen ist nach Form und Inhalt eine «Antwort an die Dämonen[195a]». Die Schärfe der Linien, die Klarheit der Gestalten bei gleichzeitigem Verzicht auf überschauende Einordnung, auf Systematisierung der Figuren und Geschehnisse bestimmen sein Gesicht. Der isolierende Figurenstil erzeugt eine ganz eigenartige Wirkung: Bei völliger Unkenntnis über die wirkenden Zusammenhänge herrscht doch größte Sicherheit. Das Fehlen der Überschau beeinträchtigt den Kontakt mit den Wesensmächten nicht. Es ist, wie wenn das Märchen uns versichern wollte: Auch wenn du selber nicht weißt, woher du kommst und wohin du gehst, nicht weißt, was für Mächte auf dich einwirken und wie sie es tun, nicht weißt, in was für Zusammenhänge du eingebettet bist – du darfst sicher sein, *daß* du in sinnvollen Zusammenhängen stehst. Wie stark und überzeugend diese Botschaft aus dem Märchen spricht, wie einzigartig gerade seine Mittel sie zu tragen vermögen, sehen wir sofort, wenn wir neben das echte Volksmärchen ein Kunstmärchen wie des Apulejus «Amor und Psyche» stellen. Die Geschehnisse entsprechen denen des Märchens vom Tierbräutigam; aber die Jenseitigen, gute wie böse, werden genau identifiziert und in ein System eingeordnet. Das nimmt dem Märchen des Apulejus alles Glaubhafte. Die Geschichte wird dem Dichter zum Spielwerk, die schenkenden und hindernden Mächte zu Göttern, an die er selbst nicht glaubt, die deutlich einem *konstruierten* System angehören – während gerade der Verzicht auf jede Einordnung den tiefen Ernst des Volksmärchens offenbart. Es sagt nicht mehr aus, als es weiß, und es weiß nur, was es schaut. Es konstruiert nichts. Das Volksmärchen ist kein Tummelplatz mutwilliger Phantasie. Es stellt gläubig Welt und Mensch dar, wie es sie bildhaft erschaut.

Man kann das Märchen symbolische Dichtung nennen[196]. Aber nur in dem weiten Sinne, in dem alle Dichtung symbolisch ist: Das Besondere, von dem es erzählt, meint nicht nur sich selber; ein Allgemeines birgt und offenbart sich in ihm. Mit dem Schweinejungen und der Prinzessin meint das Märchen nicht nur einen Schweinejungen und eine Prinzessin, sondern zugleich Menschen überhaupt. Die Krankheit ist nicht nur Krankheit, sie deutet auf Leiden schlechthin. Bei der Errettung eines Mädchens vor dem Tode durch den Drachen erlebt der unbefangene Hörer gewiß zunächst eben diesen äußeren Vorgang nach, aber in dem äußeren Bilde wird ihm zugleich seelisches Geschehen zum Gesicht. Not und Befreiung der Menschenseele, Macht und Ohnmacht ungeheurer triebhafter Gewalten können in solchen Bildern sich aussprechen. Zugleich lebt in ihnen dumpfe Rückerinnerung an grausame Opferriten. Zugleich schwingt mit das Verhältnis des Menschen zur dämonischen Natur – aber auch sein Verhältnis zu anderen Menschen. Und der Hörer spürt, je nach seiner eigenen inneren Situation, etwas von diesem oder dieses alles. Unbewußt oder halbbewußt ist ihm das geschaute Bild nicht nur Schaubild, sondern immer zugleich auch «Bild für ...». Erst wenn das Bild vollbewußt gedeutet wird, ist die Dichtung zerstört.

Märchen sind deutbar. Aber jede Einzeldeutung bedeutet Verarmung und geht am Wesentlichen vorbei. Durch die Sublimierung sind alle Elemente des Märchens so sehr des Individuellen entkleidet, sie sind so rein aus der Sphäre gehoben, in der sie ursprünglich gewachsen sind, daß sie nun auch andere Sphären zu verbildlichen vermögen. Was einst ein erotisches Symbol war, kann nun Zeichen für ganz anderes sein[197]. Der Wunsch des Kaufmannstöchterleins nach Schlange oder Blütenzweig verkörperlicht im Märchen vor allem die unerklärte Fähigkeit der Heldin, das wirklich Wesentliche zu treffen, geheime und ihr selber nicht bewußte Zusammenhänge herzustellen; zugleich spricht er von Zartheit und Bescheidenheit oder von Eigenwillen, Launenhaftigkeit, Ziererei und Demütelei. Die erotische Potenz des Bildes kann mitschwingen, aber sie braucht es nicht. – Die Frage nach dem verlorenen Schlüssel hat ursprünglich sexuellen Sinn, und die Krankheit der Prinzessinnen ist die Liebeskrankheit (vgl. oben S. 66f.). Im Märchen aber brauchen sie weder sexuell verstanden noch unbewußt als Sexual- oder Liebessymbole erlebt zu werden. – Die schöne und reine Prinzessin kann, je nach der Eigenart des Hörers, als Symbol für das Reine, Gute und doch Erlösungsbedürftige erlebt werden – erlebt, nicht bewußt gedeutet; denn sie ist Symbol, nicht Allegorie – oder als die Menschenseele schlechthin, die sich nach Vereinigung mit dem Geistigen sehnt. Sie kann aber auch einfach als Jungfrau genommen werden, die vom Manne erobert und erlöst sein will. Im Prinzen mag man die Verbildlichung aktiv geistiger Kräfte spüren. Die Gestirne, Steine, Blumen, Tiere des Märchens, seine Gewänder, Ringe, Stäbe, Kästchen, Eier und Innenräume bedeuten zunächst einmal sich selber. Darüber hinaus sind sie Repräsentanten der kosmischen und menschlichen Außenwelt. Aber sie vermögen auch Tatsachen der unbewußten menschlichen Innenwelt zu verbildlichen; Unbewußtes und Unaussprechliches schafft sich in ihnen ein Bild[198]. In diesem Sinne sind sie nicht verhüllende, sondern offenbarende Symbole[199]. Sie können aber, als Sexualsymbole eben, zugleich auch verhüllende Symbole sein.

Jede einseitige Märchendeutung ist willkürlich. Daraus folgt indessen nicht, daß die Wissenschaft überhaupt auf Märchendeutung zu verzichten habe. Es liegt vielmehr im Wesen der Form Märchen, wie sie sich uns dargestellt hat, daß sie, durch Isolierung, Abstraktion, Sublimierung, jedes einzelne Element zur Figur werden läßt. Das heißt, sie erlöst es aus konkreter Verwurzelung, aus individueller Bestimmtheit und Eindeutigkeit, um es zu einem vielfach bestimmbaren Bilde zu machen. Das Konkret-Individuelle hat für das Auge, für die Sinne überhaupt, den Charakter des Unbestimmten und Vieldeutigen; denn seine Umrisse verdämmern, und seine innere Unendlichkeit läßt sich durch die Sinne nicht fassen (vgl. oben S. 25ff.). Das Abstrakt-Linienhafte ist für die Sinne das Einfache, Bestimmte. Für den Geist aber ist gerade das Konkret-Einmalige unabänderlich und eindeutig bestimmt; seine letzte Wesensart läßt sich nur deshalb niemals erfassen, weil unsere Erkenntnisorgane dafür nicht genügen; in sich selber aber ist das Individuelle bis ins letzte bestimmt, eigenartig differenziert und von einmaliger Gebundenheit. Die abstrakte Figur dagegen ist für den Geist mannigfach determinierbar. Sie kann, weil selber nicht beladen mit individuellem Gehalt, zum Träger verschiedenster Bedeutungen werden. Die schwerelosen Figuren des Märchens haben die Eigenschaft, daß sie zu keiner bestimmten Deutung verpflichten, ja daß sie eine solche verbieten; daß sie aber anderseits vielfache Deutungen gestatten, ja geradezu nach solchen rufen. Sie lassen im Hörer gleichzeitig verschiedene Töne leise, aber klar erklingen. Ohne daß er sich dessen bewußt wird, sind sie ihm schaubares Bild für gleichzeitig verschiedene unsichtbare Phänomene. Es leidet gar keinen Zweifel, daß die überindividuellen Figuren des Märchens von dem, der sie aufnimmt, unbewußt sogleich mit individuellem Gehalt besetzt werden, und zwar zumeist in mehrfacher Überlagerung. Dies ist die *Freiheit*, die das Märchen dem Hörer läßt, und die er sich nur durch bewußte einseitige Deutung zerstört. Die geistige *Gewalt* aber, die der Märchenhörer erleidet, besteht darin, daß seine Erlebnisgehalte sich der strengen Form des Märchens einfügen müssen und so eine geistige Ordnung erfahren.

Die spezifische Leichtigkeit aller Märchenfiguren hat zur Folge, daß das Märchen die Neigung zum *Schwank* in sich trägt. Die innere Freiheit, die das Märchen seinen Elementen gegenüber erworben hat, verführt zum übermütigen Spiel mit ihnen. Aus heiterem Ernst wird Scherz und Spott. Das überlegen freie Spiel mit den Motiven wird zu einem possenhaft willkürlichen. Wunder häufen sich auf Wunder und werden an unwürdige Helden verschwendet. Oder das Wunder wird durch Betrug ersetzt, die Gaben Jenseitiger durch die profane Pfiffigkeit des Helden. Der Märchenschwank führt die universale Kontaktfähigkeit des Helden bewußt ad absurdum und verlacht so den tiefen Glauben des Märchens. An die Stelle der Richtigkeit des Geschehens tritt bei ihm der Humor des Geschehens. Viele Erzählungen von echt märchenhafter Grundstruktur sind in der sprachlichen Ausprägung, die uns vorliegt, schwankhaft getönt. Einzelne Züge werden auch in ernsten Märchen gerne ins Schwankhafte umgebogen. Denn das Märchen ist in so hohem Grade ausgeformt, daß es eine Weiterentwicklung auf seiner eigenen Bahn nicht gibt, sondern nur ein Abbiegen ins Schwankhafte.

Die vollkommene Ausformung des Märchens kennzeichnet es als eine dichterische *Endform*. Sage, Legende und profane «Geschichte» (im Sinne Wesselskis, vgl. oben S. 63) arbeiten einzelne Motive heraus und bleiben an sie gebunden. Die Sage ringt um die Gestaltung des einzelnen Wirklichkeitserlebnisses. In ihr ist jedes Element geladen mit Spannung, voll lebendigen Inhalts, so daß sie nicht von ihm loskommt, sich nicht frei entfalten kann, in der Kurzform stecken bleibt (Eingliedrigkeit, Neigung zum Fragment). Ihre dichterische Kraft erschöpft sich im titanischen Bestreben, das unerhörte Einzelerlebnis zu bewältigen. Das Märchen aber erarbeitet sich die Elemente, aus denen es sich aufbaut, nicht selber, sondern bezieht sie von überall her, entkleidet sie ihres ursprünglichen Erlebnisgehalts und verwendet sie souverän und virtuos nach seiner eigenen Weise. Dadurch entsteht der Eindruck schwereloser Einfachheit. Leichtigkeit und virtuose Einfachheit aber sind die Merkmale von Spätformen.

Es ist gewiß kein Zufall, daß in Deutschland gerade die Anakreontik (Wieland, Musäus) das Märchen neu entdeckt hat. Sie ist selber eine Endform, spielt virtuos mit den immer gleichen, leer gewordenen Motiven und scheint, wie das Märchen, von kindlicher Einfachheit. Niemand hält sie deswegen für primitiv oder naiv. Wir wissen, sie steht am Ende einer Entwicklung, sie ist ganz unnaiv, ihre Einfachheit ist künstlich. Beim Märchen überliefert uns keine äußere Wissenschaft Umstände und Zeit des Entstehens. Aber die Beschaffenheit seiner inneren Form gibt uns die Gewißheit, daß auch das Märchen weder primitiv noch naiv ist, sondern hochentwickelte Kunst.

Auch die Romantik, deren tiefer Liebe zum Märchen wir so vieles verdanken, ist eine Spätform. Der Sturm und Drang aber, eine ausgesprochene Frühform der Dichtung, fühlte sich zur Sage hingezogen, nicht zum Märchen («Faust», «Lenore»). Die Volkssage ist dichterische Frühform. Sie ist primitiv, Dichtung und Wissenschaft in einem, oder vielmehr ein komplexes, vordichterisch-vorwissenschaftliches Gebilde. Das Märchen ist reine Dichtung und kann schon aus diesem Grunde nicht primitiv sein. Primitiv ist das unentfaltete Zusammen. Das Märchen aber muß auf einer Stufe der Menschheitsentwicklung entstanden sein, wo die einzelnen Sphären schon rein sich sondern konnten, wo die Dichtung sich aus der Verbindung mit Praxis und «Wissenschaft» gelöst hatte. Die Sage als primitives Gebilde kann noch heute jeden Tag im Volke entstehen. Märchen aber entstehen im Volke selber keine.

Über die *Entstehungszeit* des Märchens läßt sich von unserer Formanalyse aus nur wenig aussagen. Es ist ohne Zweifel ein Kind hoher Kultur. Aber es kann durchaus zeitlich sehr frühen Kulturen angehören. Die Tatsache, daß heute bei uns die Kinder (vom 4. bis 9., längstens bis zum 12./13. Jahre[200]) das eigentliche Märchenpublikum bilden, macht eine frühe Entstehungszeit wahrscheinlich. Das tiefe Bedürfnis des Kindes, Märchen zu hören, die Strenge, mit der es am einmal gehörten

Wortlaut festhält, erweist es uns als den heute legitimsten Märchenhörer. Daraus folgt nicht, daß also die Märchen ursprünglich für Kinder geschaffen worden seien, sondern höchstens, daß, dem phylogenetischen Grundgesetz gemäß, das Märchen offenbar einer früheren Stufe der Menschheitsentwicklung entspricht. Heute legen uns die Forschungen von Sydows[201] und Peuckerts[202] eine solche frühe Entstehungszeit nahe. Die psychologische Märchenforschung, die psychoanalytische[203] wie die eidetische[204], ist auf eigenen Wegen zum selben Schluß gelangt. C. W. von Sydow hält das Märchen für indogermanisches Erbgut. W. E. Peuckert nimmt sogar vorindogermanische Herkunft an; er weist es der ostmittelmeerisch-vorderasiatischen Bauern- und Stadtkultur zu[205], einer nachtotemistischen Zeit mit mutterrechtlicher Kulturstruktur, während in der vorangehenden totemistischen Zeit das «Mythenmärchen» mit seiner unumschränkten Zauberkausalität geblüht habe[206]. Hermann Bausinger glaubt, das Märchen entstehe «dort, wo Wunsch und Wirklichkeit auseinandergefallen sind, wo die ‹zauberische Welt› (Peuckert) vorbei, aber noch als die ‹gute alte Zeit› vertraut ist und in der Erzählung aufgehoben werden kann[207].» Auch Otto Rank setzt, von ganz anderen Überlegungen geleitet, das Märchen, dem er den totemistischen Mythus vorangehen läßt, in die Übergangsepoche von der patriarchalischen zur sozialen Menschheitsorganisation. Otto Huth sucht den Ursprung der Märchen in der jüngeren Steinzeit, er sieht in ihnen vormythische megalithische Mysterienlegenden[208]. Jan de Vries hingegen, der im Märchen eine Ausdrucksform aristokratischer Lebenshaltung sieht, vermutet die Stelle, wo das Märchen entsteht, überall dort, wo eine mythische Kultur von einer rationalistischeren abgelöst wird, also z. B. in der homerischen Welt oder in jener der italienischen Renaissance[209]. Unsere Formuntersuchung ergibt an sich keine beweiskräftigen Argumente für oder gegen genaue Datierungen. Wenn aber Peuckert die Märchen deshalb an das Ende einer «zauberischen» und an den Anfang einer «vernünftigen» Welt setzen will, weil es noch viele magische Motive verwendet, aber schon mit ihnen spielt, so ist dieses Argument nicht schlüssig. Denn das Märchen spielt mit allen Motiven; nicht nur mit den magischen, sondern auch mit den numinosen, den sexuellen, den profanen überhaupt. Es entmachtet und sublimiert sie alle, keine Einzelerklärungen sind nötig[210], und keine Einzelschlüsse sind zu ziehen. Der abstrakte Stil entleert und sublimiert die Motive; dies kann er, ausgebildet durch überlegene Künstler, durchaus schon zu einer Zeit, da die entsprechenden Inhalte im wirklichen Leben noch in voller Entfaltung stehen[211].

Die Mutter-Kind-Situation erlaubt weder den Schluß, daß die Märchen von Anfang an für Kinder gedichtet worden, noch den anderen, daß die Märchen Frauendichtung seien[212]. Aber sie scheint dafür zu zeugen, daß Märchen von oben empfangen werden. Das Märchen kann Dichtung für Primitive sein, nicht aber Dichtung von Primitiven[213]. Als reine Dichtung ist es vermutlich das Werk hoher Künstler, von denen es zum Volke herabkommt. Es ersteht aus echter dichterischer Schau. Man kann sehr wohl von traumhafter Schau sprechen; aber es handelt sich ohne Zweifel um den Wachtraum des Dichters, nicht um gewöhnliche Nachtträume. Einzelne Motive können durchaus dem Nachttraum entstammen[214]; es entspricht der Welthaltigkeit des Märchens, daß es auch aus diesem Bezirk menschlichen Seins Elemente in sich aufnimmt. Ferner muß an die relative Affektarmut des manifesten Trauminhaltes erinnert werden[215] und an seine relative Phantasielosigkeit (Wiederkehr der immer gleichen typischen Motive[216]). Beides trifft auch für das Märchen zu. Nur geht es in der Affektarmut (Flächenhaftigkeit auch im Seelischen) viel weiter als der Schlaftraum – es gleicht darin vielmehr dem Tagtraum, dem Wachtraum des Dichters, aus dem es eben entstanden sein dürfte[217].

Das Volk ist Märchenträger und Märchenpfleger, kaum Märchenschöpfer[218]. Das Märchen ist, will mir scheinen, ein Geschenk seherischer Dichter an das Volk. Wer die ursprünglichen Märchenbildner sind, entzieht sich unserer Kenntnis. Wie weit sie die Märchen dem Volke schon in einer ihm gemäßen und für die mündliche Übertragung geeigneten Form gereicht haben, wie weit das eigentliche Volksmärchen erst durch die volksmündliche Übertragung selber zurechtgeschliffen worden ist, ist schwer feststellbar[219]. Unsere Formuntersuchung, die den sehr bestimmten Stilwillen des Märchens aufzuzeigen bemüht war, läßt uns vermuten, daß mehr, als gemeinhin angenommen wird, auf das Konto der eigentlichen Märchenschöpfer zu schreiben ist.

Die Märchenforschung neigte bisher dazu, die einzelnen Stilmerkmale ausschließlich oder vorwiegend aus der mündlichen Übertragungsweise abzuleiten[220]. Sobald indessen Ernst gemacht wird mit der Einsicht, daß das Märchen wie andere Grundformen der Dichtung Ausdruck einer «Geistesbeschäftigung» ist, kann eine solche kunstmaterialistische Erklärungsart nicht mehr genügen. Auch Sage, Saga, Legende und Klatschgeschichte werden mündlich übertragen und besitzen doch einen anderen Stil als das Märchen; der Grund dafür kann nicht allein darin liegen, daß das Märchen als mehrgliedrige Erzählung eines festen, formelhaften Stils bedarf, um dem Erzähler Gedächtnisstützen zu bieten, während die Sage als eingliedriges Gebilde einen solchen Stil nicht nötig hat. Die andere Stilart muß vielmehr der Ausdruck eines anderen Stilwillens sein[221]. Es ist ja so, daß alles, was lebt, aus sich selber lebt und zugleich aus den Kräften seiner Umwelt. Alles Lebendige wächst nach immanenten Gesetzen und muß doch zugleich milieuangepaßt sein. Das Primäre aber ist das immanente Gesetz. Dichtung kann nur leben, wenn ihr eigener Geist und die äußeren Bedingungen ihres Daseins zusammenstimmen. Das Märchen verwirklicht sich selber und ist doch angewiesen auf die äußere Möglichkeit, von Mund zu Mund übertragen zu werden. Das Primäre aber ist seine Eigenart. Wie die Form einer Pflanze nicht «erklärt» werden kann aus Standort, Nährboden und Klima, sondern nur aus ihrem eigenen Wachtumsgesetz, so darf auch der Stil des Märchens nicht abgeleitet werden aus der Art der Übertragung. Die Pflanze gedeiht nur dort, wo die äußeren Bedingungen ihrem eigenen Gesetz gemäß sind. Und das Märchen blüht nur dort, wo die Außenwelt bereit und fähig ist, es so, wie es aus sich selber sein muß, aufzunehmen und zu tragen. Primär ist das innere *Bedürfnis* seiner Schöpfer, Pfleger und Hörer nach ihm. Sekundär ist seine Eignung für die mündliche Übertragungsweise. Für die Lebensfähigkeit des Märchens ist beides gleich wichtig, das Innere wie das Äußere. Geistig aber steht das innere Gesetz an erster Stelle. Wir können das Märchen und seine Funktion in der Welt der Menschen nur verstehen, wenn wir seine Eigenschaften aus ihm selber und nur aus ihm selber begreifen. Daß sie zugleich die mündliche Übertragungsweise möglich machen, ist der Glücksfall, wie er überall da eintreten muß, wo Leben entstehen soll.

Zweierlei ist möglich. Entweder schleift sich das Volk Dichtungen, die ihm gereicht werden, so zurecht, daß sie seinen eigenen inneren Bedürfnissen wie auch der mündlichen Übertragungsweise gemäß sind. Oder sie werden dem Volke von Anfang an in einer Form gereicht, die seinem Bedürfnis wie seiner Erzählfähigkeit entspricht. Welches von beiden für die Ursprünge des Märchens anzunehmen ist, kann vorläufig nicht entschieden werden. Es wäre aber zu wünschen, daß die Märchenforschung mehr als bis anhin auch die zweite Möglichkeit ernsthaft ins Auge faßte. Denn es ist wohl möglich, daß die eigentlichen Märchenbildner, ähnlich wie Homer, zwar selber Erben einer langen Entwicklung sind, daß aber ihre Schöpfungen als endliche Erfüllung dieser Entwicklung sich ziemlich rein und unverändert in der volksmündlichen Übertragung erhalten.

Ziel unserer Untersuchung waren nicht Folgerungen über Entstehungsart und Entstehungszeit des Märchens. Nur nebenbei und mit größter Behutsamkeit waren dergleichen Schlüsse zu ziehen. Uns ging es vielmehr darum, die Wesensart des europäischen Volksmärchens zu beschreiben und seine Funktion zu erfassen. Daß die Ausprägung des Märchenstils von Erzähler zu Erzähler, von Volk zu Volk[222] und auch von Epoche zu Epoche verschieden ist, ist selbstverständlich. Aber es gibt eine Grundform, nach der die Märchenerzählung hinstrebt. Sie wird kaum je rein verwirklicht, unsichtbar aber steht sie hinter jedem Märchen. Die lebendige Erzählung umspielt, umrankt sie. In jedem einzelnen Märchen kommen Züge vor, die ihr nicht ganz entsprechen. Durch den Vergleich vieler Erzählungen war es möglich, das eigentlich Märchenhafte zu erfassen. Wenn in einem Märchen Ort, Zeit und historische Personennamen genannt werden, so bleibt die betreffende Erzählung doch ein Märchen, sofern sie im übrigen Märchenstruktur und Märchenstil wahrt. Aber Ort, Zeit und Personenname sind Fremdkörper in ihm, sie gehören nicht zum eigentlichen Märchenstil; denn dieser ist von abstrakter Art. Wenn es im litauischen Märchen von den drei Schwestern heißt: «Als einige Monate vergangen waren, wurden die beiden Schwestern die Dienerinnen ihrer verhaßten Schwester, und ihr Glück ließ in beider Herzen die furchtbare Flamme des Hasses und Neides auflodern. Die Demut und Liebe der Königin erlosch trotzdem nicht, aber immer stärker wurde die Flamme des Hasses in den Herzen der Schwestern. Beide Dienerinnen der Königin wurden von dem Feuer des Neides gequält. Denn nirgends gibt der Neid Ruhe dem Herzen. Überall zeigte er sich und wurde immer stärker und stärker. Denn es gibt nichts, womit man das von Neid brennende Herz sättigen könnte, bis es ihm besser geht» – so ist das alles leere Ausschmückung und durchaus märchenfern. Aber in den nächsten Sätzen, wo der Faden der Erzählung wieder aufgenommen wird, stellt sich der reine Märchenstil bald wieder her[223]: «Ein Jahr verstrich (wie eine Stunde) nach der Hochzeit der drei Schwestern, und die Königin gebar einen Sohn. (Da bot sich für die Schwestern der Königin die glückliche Gelegenheit, ihr Herz zu beruhigen.) Die beiden neidvollen Schwestern legten (nämlich) den Königssohn in einen kleinen Kessel und warfen ihn in einen Graben, der durch den Palast des Königs floß. Dem König aber zeigten sie ein Stück Holz, das in Windeln gewickelt war, und sagten, seine Frau hätte das geboren.» Die Schwestern, von deren inneren Gefühlen vorher so viel geschwatzt worden war, zeigen jetzt bei ihrer gewiß aufregenden Handlung nicht die geringste Erregung. Sie werden nun ganz flächenhaft gezeichnet und verrichten mit extremer Härte und Leichtigkeit ihr Werk. Die seelenlose Bestimmtheit, mit der sie handeln, wird noch unterstrichen durch die nachfolgende Gebärde: An die Stelle des lebendigen Kindes setzen sie ein hartes, fühlloses Stück Holz, das sie dem König ruhig und ohne heuchlerisch entrüsteten Wortschwall vorweisen. – Am Schlusse eines norwegischen Märchens kommt der König nach langer Abwesenheit zurück in sein Schloß. «Zuerst erkannte die Königin ihn nicht, denn er war so mager und bleich geworden, weil er so weit gewandert war mit seinen großen Sorgen; aber als er ihr den Ring zeigte, wurde sie herzensfroh, und da hielten sie die richtige Hochzeit, daß man weit und breit davon hörte[224].» Daß der König bei seiner Wanderung von Sorgen verzehrt wurde und mager und bleich geworden ist, tönt wenig märchenecht. Bei näherem Zusehen erkennt man, daß der Erzähler diese Worte nur eingefügt hat, weil er auch nach anderer Richtung den Stil des Märchens mißversteht: Er glaubt erklären zu müssen, was dem echten isolierenden Märchenstil selbstverständlich ist: das Nicht-Wiedererkennen (vgl. oben S. 30f., 39–43). Die Notwendigkeit des Erkennungszeichens, das zugleich eine Veräußerlichung (Projektion) der im echten Märchen anders nicht darstellbaren inneren Beziehung ist (vgl. oben S. 18f., 50), braucht also nicht begründet zu werden. Weitere Beispiele von Verstößen gegen die Isolation und Flächenhaftigkeit des Märchens stehen oben S. 15, 20f., 26, 39. Rationalisierungen der Allverbundenheit sind besonders im serbokroatischen Märchen häufig: «Du hast Glück, Gott hat dich gerade den richtigen Weg geführt.» «Er betete in einem fort zu Gott, und Gott bewahrte ihn gesund auch diese Nacht[225].» In der echten Märchenwelt braucht Gott nicht bemüht zu werden, damit er alles in Ordnung bringe; diese Ordnung stellt sich von selber her. Unsere Kriterien machen es möglich, echt und unecht (was nicht gleichbedeutend ist mit ursprünglich und nicht ursprünglich) im Märchen zu unterscheiden. Daß auch Wilhelm Grimm sich in manchem vom wirklichen Volksmärchen entfernt und seinen eigenen Stil entwickelt, ist von verschiedenen Forschern demonstriert worden[226]. An den Schicksalen des Rapunzelmärchens läßt sich zeigen, wie ein echtes französisches Volksmärchen unter den Händen eines schriftstellernden Hoffräuleins Ludwigs XIV. seinen Stil verändert, dann von Jacob Grimm gründlich gereinigt und so der Art der eigentlichen Volksmärchen wieder angenähert, hierauf von Wilhelm Grimm durch Einfügen von Gefühlswörtern sentimentalisiert wird; in den Volksmund zurückgelangt, setzt die Selbstkorrektur des Stils ein, und das Märchen wird von den Zutaten der französischen Feenmode noch weit entschiedener befreit als dies bei Jacob Grimm schon geschehen war[227].

Das europäische Volksmärchen hat sich uns dargestellt als eine mehrgliedrige welthaltige Abenteuererzählung von abstrakter Stilgestalt (vgl. oben S. 77). Es faßt die Welt in sich. Es zeigt zwar nicht ihre innersten Zusammenhänge, aber ihr sinnvolles Spiel. Alle Elemente der Welt sind in ihm leicht und durchsichtig geworden. Die magischen Inhalte haben sich verflüchtigt wie die mythischen, die numinosen und die profanen. Aber gerade darauf beruht die eigentümliche Magie, die dem Märchen eignet, und die magische Wirkung, die von ihm ausgeht. Es verzaubert alle Dinge und Vorgänge dieser Welt. Es erlöst sie von ihrer Schwere, von Verwurzelung und Gebundenheit und verwandelt sie in eine andere, geistnähere Form. Es spricht nicht nur von Zauber, es zaubert selber. Es vollbringt die Erlösung, die die Wirklichkeit vom Geist und von der Sprache zu fordern scheint. Es sublimiert und vergeistigt die Welt.

Das Märchen ist das Glasperlenspiel vergangener Zeiten. Heute ist es bei uns in die Kinderstube hinabgesunken, wie Pfeil und Bogen, Tomahawk und Säbel. Es genügt uns nicht mehr, es ist uns zu einfach, zu «einfältig». Es umfaßt unsere Welt nicht mehr in allen ihren Gehalten. Es ist uns überhaupt zu wenig reich, zu wenig differenziert. Auch kann uns die Antwort des Märchens auf die letzten Fragen nicht mehr befriedigen. Es zeigt den Menschen als Begnadeten, dem selbst die *Möglichkeiten* geschenkt werden. Der moderne Mensch aber erstrebt Selbstgestaltung und Weltgestaltung. Er möchte die transzendenten Mächte nicht nur als Empfangender erfahren, er möchte sie erkennen. Er sehnt sich vielleicht nicht so sehr danach, ein Begnadeter zu sein als ein sich selbst Bestimmender, seine Ziele und Wege bewußt und erkennend Wählender. Deshalb entspricht die Sage, obwohl ein primitiveres Gebilde als das Märchen, ihrer Haltung nach dem modernen Menschen besser als dieses. Das Märchen ist umfassende und in sich geschlossene dichterische Schau. Die Sage ist komplex (vgl. oben S. 90), beschränkt und relativ umgeformt; aber sie weist über sich selber hinaus. Das Märchen offenbart uns dichterisch das Wesen der Welt, ohne nach Wesen und Eigenart der einzelnen Potenzen zu fragen. Die Sage aber stellt die einzelnen Dinge in Frage. Sie läßt sich packen vom Diesseitigen wie vom Jenseitigen, sie «erklärt» auf ihre Weise, sie gibt Teilantworten. Die einzelnen Dinge lassen sie nicht los. Sie stößt erkennend und deutend ins Dunkel vor. Sie erleuchtet Teilbezirke oder meint sie zu erleuchten. Das Märchen gibt dichterisch gläubig eine vorläufige Gesamtschau von Welt und Mensch. Als reine Dichtung bleibt es reine Potentialität. Jede einzelne Sage aber ist primitiv anspruchsvoller Ansatz zu einer ungleich eindringlicheren und zugleich realeren Existenzerhellung. Sagen geben keine Gesamtschau, aber sie mühen sich um die einzelnen Phänomene. Sie tun es als dichterische Wissenschaft; Dichtung und Wissenschaft sind in ihnen noch unentfaltet ineinander verschränkt. Deshalb sind Sagen primitive Gebilde. Aber die Trennung des einst primitiv Einigen kann kein endgültiger Zustand sein. Was einst unbewußt undifferenzierte Einheit war, strebt, auseinandergefaltet und seiner selbst bewußt geworden, nach neuer Einheit auf höherer Ebene.

Suchst du das Höchste, das Größte? Die Pflanze kann es dich lehren.
Was sie willenlos ist, sei du es wollend – das ist's.

Die primitive Sage lehrt uns, wohin die Entwicklung strebt. Was einst dumpfe unentwickelte Einheit war, will wieder Einheit werden, ohne doch auf die eigene Art, die eigene Gesetzlichkeit zu verzichten. Diese höhere Einheit kann nur ein gegliedertes Ganzes sein. Wir träumen von einer neuen Vereinigung von Dichtung und Wissenschaft. Was in der primitiven Sage ein unfreies und unwillkürliches Zusammen war, soll, nach der Differenzierung, zu freiem und reichem Zusammenklang sich finden.

Die moderne Zeit ist nur in Teilbezirken unermeßlich weit vorgestoßen. Als Ganzes hat sie ihren Stil noch nicht gefunden. Einzelwissenschaften und Technik sind weit voraus. Moral, Gesittung, Kunst haben keine entsprechende Entwicklung durchgemacht. «Gott hat nicht Schritt gehalten.» «Gott ist in der Gesittung zurückgeblieben[228].» Aber wir sehnen uns nach neuem Zusammenklang und nach seinem künstlerischen Ausdruck. Die Zeit des Märchens ist vorüber. Aber wie die Sage, so möchte auch das Märchen auf höherer Stufe sich neu verwirklichen. Und wie das alte Märchen die Inhalte der primitiven Sage sublimiert in sich aufgenommen hat, so müßte das neue Märchen die Inhalte der modernen Wissenschaft in sich aufnehmen können. Dichter und Wissenschafter träumen «von einem neuen Alphabet, einer neuen Zeichensprache, in welcher es möglich würde, die neuen geistigen Erlebnisse festzuhalten und auszutauschen[229].» Dieses kommende Glasperlenspiel würde Wissenschaft und Künste, Teilerkenntnis und Gesamtschau, Aktualität und Potentialität zur Einheit werden lassen. Der alte Gegensatz zwischen Märchen und Sage würde sich in ihm aufheben. Wie die Sage wäre es Wissenschaft und Dichtung in einem, wie das Märchen wäre es spielende Gesamtschau des menschlichen Seins. Ob dieses neue Märchen ein Traum der Dichter bleiben wird, wissen wir nicht. Inzwischen lebt das alte Märchen fort, den Kindern eine Labung und Freude, uns aber zugleich eine Verheißung kommender Möglichkeiten.

MÄRCHENFORSCHUNG

Das Volksmärchen erfreut sich der Aufmerksamkeit einer ganzen Reihe von Wissenschaften. In unserer Zeit ist es Forschungsgegenstand namentlich der Volks- und Völkerkunde, der Psychologie und der Literaturwissenschaft. Die Volkskunde untersucht die Märchen als kultur- und geistesgeschichtliche Dokumente und beobachtet ihre Rolle in der Gemeinschaft. Die Psychologie nimmt die Erzählungen als Ausdruck seelischer Vorgänge und fragt nach ihrem Einfluß auf den Hörer oder Leser. Die Literaturwissenschaft sucht zu bestimmen, was das Märchen zum Märchen macht; sie möchte die Wesensart der Gattung und auch der einzelnen Erzählung erfassen und stellt, wie die Volkskunde, zudem die Frage nach Ursprung und Geschichte der verschiedenen Märchentypen. Der Volkskundler interessiert sich primär für die Funktion, die Biologie der Gebilde, der Psychologe für deren Ableitung aus den Bedürfnissen der menschlichen Seele, der Literaturwissenschaftler für die Gebilde selber und ihre Stelle in der Welt der Dichtung.

Unser Buch hat versucht, eine Art Phänomenologie der Märchenerzählung, so wie wir sie in Europa antreffen, zu geben. Es ist eine literaturwissenschaftliche Interpretation des Volksmärchens, deren Ziel es war, die wesentlichen Gesetze der Gattung herauszuarbeiten. Daß es Mischformen von Märchen und Sage, von Märchen und Legende, von Märchen und Fabel gibt, ist ebenso selbstverständlich wie die Vermischung von Lyrik und Epik oder Epik und Dramatik. Es gibt epische und lyrische Dramen, aber die Ideen des Dramatischen, des Lyrischen, des Epischen scheiden sich trotzdem rein von einander, nicht nur in den Spekulationen der Poetiker, sondern auch im Empfinden der Schaffenden und Genießenden. Die Ausfaltung der Gattungen, die Neigung zur Spezialisierung ist eine Leistung höherer Kulturen. Primitiv ist ein ungegliedertes Ganzes – im Bereich der Biologie der Same, in dem alle Teile noch ungeschieden ineinander ruhen, während die erwachsene Pflanze sich reich und rein ausgliedert. Die Erzählungen der Naturvölker sind häufig Mythos, Sage, Märchen, Fabel in einem, die Auseinanderfaltung in verschiedene Gattungen steckt noch in den Anfängen. In Europa, das auch auf anderen Gebieten zu einer sonst nirgends verwirklichten (wenn auch vielerorts übernommenen) Spezialisierung gelangt ist, scheiden sich die Erzählgattungen deutlicher als anderswo. Unsere Merkmale sind durch den Vergleich vieler Erzählungen gewonnen worden. Das einzelne Märchen kann vom Idealtypus stellenweise abweichen, es kann da oder dort eine umständliche Schilderung enthalten oder unmittelbare Gefühlsäußerungen; wenn es im übrigen den Gesetzen der Gattung entspricht, so wird man es trotzdem als Märchen bezeichnen. Nichts Lebendiges ist schematisch, und doch strebt alles Lebendige nach einer bestimmten Gestalt. Keine einzelne Erzählung wird starr alle Gesetze der Gattung erfüllen, viele Erzählungen aber nähern sich der strengen Form und umspielen sie. Nicht nur der vergleichende und analysierende Forscher gelangt zu einer bestimmten Vorstellung der Gattung, auch der gewohnheitsmäßige Märchenhörer, der viele Erzählungen kennt, trägt eine solche in sich. An individuellen Abweichungen, an fröhlichen Schnörkeln der einzelnen Erzähler wird er sich trotzdem freuen: Sie offenbaren ein Maß von Freiheit, bei dem wir spüren, daß es uns zuträglich ist. Notwendigkeit und Freiheit durchdringen sich im Märchen auf vielfältige Weise. Dazu gehört, daß für das Gefühl des Hörers eine Grundstruktur wahrnehmbar bleibt, auch wenn national und landschaftlich, individuell oder zeitlich bedingte Eigenarten die Erzählung mitgestalten. Daß die Volksmärchen trotz allen Freiheiten einer bestimmten inneren Form immer wieder zustreben, liegt natürlich nicht daran, daß ihre Dichter oder Erzähler die Forderung der Gattung kennen und gewisse Regeln bewußt handhaben, es erklärt sich vielmehr dadurch, daß die Gattungen, wie wir es zu zeigen versucht haben, bestimmten Bedürfnissen der menschlichen Seele entsprechen und sie befriedigen.

Es stellt sich die Frage, ob unsere Beschreibung der Grundstruktur des Märchens wirklich das in mündlichem Erzählen lebendige Volksmärchen erfasse, oder ob sie am Ende nur für das Buchmärchen gültig sei, nur auf den Stil der Brüder GRIMM und der vielen, die in ihren Spuren wandeln, zutreffe.

Wer die Eigenart des europäischen Volksmärchens erkennen will, wird sich nicht ausschließlich auf die Aufzeichnungen der heutigen Sammler, die mit dem Tonband ausgerüstet sind und ihre Aufnahmen oder Stenogramme unverändert veröffentlichen, stützen dürfen. Im heutigen Europa ist die Erzählkultur im Verfall, wie es zum Beispiel die noch vor dem zweiten Weltkrieg im abgelegenen Haslital aufgezeichneten Märchen MELCHIOR SOODERS zeigen[230]; was für den heutigen Erzähler gilt, trifft nicht unbedingt auch auf jenen zu, der noch Glied einer lebendigen Erzählgemeinschaft von Erwachsenen war; deren Erwartungen und Bedürfnisse bestimmten seine Erzählweise anders als es heute beim isolierten Erzähler ein Kinderpublikum tut oder gar die Person des Märchenforschers, dem er endlich wieder eine der geliebten alten Geschichten erzählen darf. Zudem brachte die früher allenthalben verbreitete Kultur der mündlichen Erzählung eine weit größere Zahl von begabten Erzählern hervor als man sie heute treffen kann. Wir bleiben deshalb auf die Aufzeichnungen des 19. Jahrhunderts angewiesen, die übrigens zum Teil einen hohen Grad von Verantwortungsgefühl zeigen. WILHELM GRIMM allerdings, dem die Gestaltung der späteren Auflagen der Kinder- und Hausmärchen fast allein überlassen war, schaltete sehr frei mit den Erzählungen, er stilisierte sie nach seinem künstlerischen Empfinden. Außerdem kombinierten die Brüder Grimm öfters mehrere Varianten, sie wählten aus jeder von ihnen die Episoden und Züge, die ihnen am besten gefielen – ein Verfahren, das in jüngster Zeit, obwohl nicht in so extremer Form, auch für moderne Editionen empfohlen worden ist: Das Märchen hat, nach einem Ausdruck des griechischen Volksmundes, «keinen Hausherrn»; erst wenn der Sammler die gleiche Geschichte von vielen Erzählern gehört hat, wird es ihm gelingen, «den Standort festzulegen, wo sich das allgemeine Volksempfinden geistig und künstlerisch befindet und worin es schafft»[231]. Diese unerwartete Gegenstimme gegen wortgetreue Publikation verdient gehört zu werden. Wir möchten die wörtlichen Aufzeichnungen nicht missen; sie entsprechen dem Prinzip der Sachtreue, das der Wissenschaft des 20. Jahrhunderts eignet, und sie sind volkskundlich, psychologisch und literaturwissenschaftlich aufschlußreich. Aber MILLIOPOULOS, von dem die soeben zitierte Bemerkung stammt, bringt einen Gesichtspunkt wieder zu Ehren, der in der letzten Zeit zu wenig bedacht worden ist und der zur Ergänzung der heute üblichen Publikationsprinzipien herangezogen zu werden verdient. So wie der Erzähler seine Geschichte oft von mehreren Personen gehört hat und nun selber eine Höchstform zu erreichen trachtet, so liegt es auch für einen Sammler und Herausgeber nahe, die durch den Vergleich verschiedener Versionen fast von selbst sich ergebende Idealform herzustellen. Allgemeines Editionsprinzip darf dies freilich nicht werden, der wissenschaftliche Herausgeber soll sich nicht selber zum «Hausherrn» des Märchens machen. Und die Idealform wird nur durch Vergleich ähnlicher Erzählungen gewonnen werden können, nicht durch Kombinieren relativ ungleichartiger Varianten, wie die BRÜDER GRIMM es sich gestatteten. Wilhelm Grimms stilistische Umformung vollends hat das «Buchmärchen» geschaffen, ein gehobenes Volksmärchen gewissermaßen, das sich von dem frei fabulierenden «Kunstmärchen» deutlich unterscheidet[232]. Es hat eine wichtige Funktion, es füllt die durch das Versiegen der mündlichen Überlieferung entstandene Lücke und ist zum lebendigen Besitz von Kindern und

Erwachsenen geworden. Als vollgültigen Repräsentanten des eigentlichen Volksmärchens jedoch darf man es nicht nehmen. Wir haben deshalb die Kinder- und Hausmärchen von Anfang an nur ergänzend herangezogen. Was aber den Erzählungen des 16., des 19. und des 20. Jahrhunderts gemeinsam ist, was schon in dem verglichen mit BASILE oder PERRAULT offensichtlich weit wortgetreuer aufgezeichneten Märchen vom Erdkühlein[233] und noch bei den Erzählern eines GOTTFRIED HENSSEN oder LEZA UFFER beobachtet werden kann und sich ähnlich in den Ausgaben des 19. Jahrhunderts findet, das gehört offenbar zum Stil des Volksmärchens an sich.

Die Aufzeichnungen des 20. Jahrhunderts vermögen unsere Beobachtungen mannigfach zu bestätigen. Wenn Grimmsche Märchen zurück ins Volk gelangen, pflegen sie sich von selbst zu reinigen: Sie nähern sich der abstrakten Stilform, die durch WILHELM GRIMM geschwächt wurde, in manchem wieder an. Bei Grimm bekommt Aschenputtel zuerst «ein golden und silbern Kleid», dann «ein noch viel stolzeres», schließlich eines, «das war so prächtig und glänzend, wie es noch keines gehabt hatte.» In der Erzählung des niederdeutschen Landarbeiters Egbert Gerrits aber hat das erste Kleid zwei Finger breite Silberstreifen, das zweite zwei Finger breite Goldstreifen, das dritte Gold- und Silberstreifen. Das ist gleichzeitig abstrakter, ornamentaler, linienschärfer und anschaulicher als bei Grimm – wie denn unser Terminus «abstrakt» nicht als Gegensatz zu anschaulich verstanden werden darf; die abstrakte, d. h. wirklichkeitsferne Ausformung liefert im Gegenteil optisch suggestivere Bilder als eine realistisch individualisierende Darstellungsweise[234]. Bei Gerrits stellt sich die rein ausgeformte, nach klarer und einfacher Sichtbarkeit strebende Steigerung, die in der unscharf poetisierenden Grimmschen Formulierung verwischt war, wie von selber wieder her; die Steigerung gibt sich als genau (nicht unbestimmt) trennende Variation[235]. Im Grimmschen Rapunzelmärchen stürzt sich der Prinz aus Verzweiflung aus dem Turmfenster: «Der Königssohn geriet außer sich vor Schmerz und in der Verzweiflung sprang er den Turm hinab.» Nach unseren Bestimmungen entspricht diese Formulierung Wilhelm Grimms dem Stil des echten Volksmärchens nicht. Im Munde des Volkes korrigiert sie sich von selber. In zwei von Grimm abhängigen, aber von einander unabhängigen Nacherzählungen, die eine in Danzig, die andere in einer schwäbischen Enklave Ungarns aufgezeichnet, wird die Stelle in gleicher Art berichtigt. Das Danziger Schulkind erzählt: «Als sie (die Hexe) sah, daß das ein Prinz war, warf sie ihn hinunter.» Die schwäbische Erzählerin: «Sie stach ihm die Augen aus und warf ihn hinab[236].» Beidemale also wird an die Stelle des Seelenschmerzes ein äußerer Stoß gesetzt, der innere Antrieb hat sich in einen äußeren, dem Auge klar sichtbaren Vorgang verwandelt. Daß auch sonst die von Wilhelm Grimm eingefügten Gefühls- und Begriffswörter (Jacob hatte sie in der ersten Auflage noch vermieden) im Volksmunde dahinschwinden, ist nicht erstaunlich[237]. An die Stelle des Ausdrucks «Zauberin» tritt in der schwäbisch/ungarischen Fassung «Hexe», womit die ursprüngliche Bezeichnung, wie wir sie in den mittelmeerischen Varianten des Rapunzelmärchens treffen, wieder erreicht ist. So darf man wohl sagen, daß es eine Selbstberichtigung des Märchenstils im Munde des erzählenden Volkes gibt, in Analogie zu der von WALTER ANDERSON festgestellten Selbstberichtigung der Struktur der Erzählungen[238]. Der der Erwartung der Märchenhörer schlecht entsprechende Schlußteil des Grimmschen Rapunzelmärchens, der der Phantasie eines französischen Hoffräuleins des späten 17. Jahrhunderts entstammt, zersetzt sich in der Erinnerung rasch, er schrumpft ein oder erfährt eine durchgreifende Umgestaltung; die wirklich volksläufigen Fassungen dieses Märchentyps (ATh 310) haben als Schluß fast ausnahmslos die magische Flucht des Paars; die drei Verwandlungen, welche die verfolgende Hexe täuschen, gliedern den Schlußteil und setzen optisch rein umrissene Bilder, die sich schön von einander abheben: nach echter Märchenweise. Die Umstilisierung der von MUSÄUS herkommenden Tierschwägergeschichte (oben S. 46 ff.) ist ein weiteres Beispiel für die Selbstberichtigung der inneren und der äußeren Form im Munde des erzählenden Volkes. Dieses Schicksal der Erzählungen von Grimm und Musäus im Volksmund zeigt, in welchem Sinne man das Märchen als Kollektivdichtung bezeichnen darf. Das erzählende Volk arbeitet mit. Wie die Lieder vom Volk nicht nur zersungen, sondern umgesungen werden, so werden auch die Märchen vom erzählenden Volk nicht nur entweder sklavisch bewahrt oder zersetzt; oft nähern sie sich durch das Wiedererzählen der Idealform, dem eigentlichen Märchenstil immer mehr an, märchenferne Elemente werden ausgemerzt, ersetzt oder verwandelt. Nicht oder jedenfalls nicht nur aus überlieferungtechnischen Gründen, sondern gemäß dem inneren Bedürfnis der Erzähler und der Hörer. Wie das Lied des Einzelnen, wenn es zum Volkslied werden soll, von Anfang an einem gewissen Modell entsprechen muß, so auch die Erzählung, die vom Volke aufgenommen und weitergetragen werden will. In diesem Sinn gehen Volkslied und Volksmärchen von vorneherein «aus dem Ganzen hervor»[239]. Im Zusammenspiel zwischen überlieferungstechnischen und geistig-künstlerischen Bedürfnissen, zwischen schöpferischen Dichtern und weiterdichtenden Erzählern bildet sich eine Art Kollektivkunstwerk, das in manchem den ebenfalls vom Volk getragenen Schwänken, Sagen und Legenden gleicht, als Ganzes aber deutlich sein eigenes Gesicht hat. Die erstaunliche Konsequenz seines Stils, der Zusammenklang seiner verschiedenen Elemente zu einheitlicher Wirkung, die aufzuweisen dieses Buch versucht hat, gibt dem Volksmärchen das Recht auf den Titel Dichtung. Seine Ursprünge, seine geschichtliche Entstehung sind schwer abzuklären, seine Wirkung aber ist die eines echten Kunstgebildes. Hinter ihm steht ein nicht bloß individueller, sondern, in dem angedeuteten Sinne, ein überpersönlicher Kunstwille[240].

Der Literaturwissenschaftler fragt in erster Linie nach der künstlerischen Wirkung der Märchenerzählung, und er versucht sie zunächst von deren Gestalt abzulesen. Doch versteht er das Märchen zugleich als Aussage, ja diese ergibt sich in ihrer allgemeinen Form unmittelbar aus der Gestalt: Das Märchen, dessen stilistisches Grundmerkmal die Isolierung und mühelose Verbindung aller seiner Elemente ist, zeichnet in seinem Helden den letztlich isolierten, aber universal beziehungsfähigen Menschen. Ein Menschenbild, dessen innere Wahrheit evident ist: Im letzten steht der Mensch allein, und doch strömen ihm immer wieder Hilfen zu, doch darf er sich tragen lassen von Kräften, deren Gesamtzusammenhang er so wenig durchschaut wie der Märchenheld den Kosmos der ihm begegnenden «Jenseitigen». Die Sage zeichnet ein anderes, in seiner Art ebenfalls wahres Menschenbild: Hier ist der Mensch der Schauende, sich Öffnende, ins Unbekannte Vorstoßende. Äußerlich und stimmungshaft wurzelt er in der Gemeinschaft, der Akzent aber liegt auf seiner Einsamkeit in den entscheidenden Erlebnissen. Einsamkeit und Isolation meinen nicht dasselbe. Der Einsame fühlt sich nur deshalb einsam und preisgegeben, weil er auf Gemeinschaft eingestellt ist. Beim Märchenhelden aber, der als Figur gezeichnet ist, nicht als komplexer Mensch mit vielfältigen Daseinsbeziehungen, darf man nicht von Einsamkeit sprechen, wohl aber von Isolation. Als Isolierter ist er nicht preisgegeben, sondern im Gegenteil fähig, überall und immer im richtigen Augenblick den notwendigen Kontakt herzustellen. Der im Wesentlichen einsame Mensch der Sage ist oft von Angst erfüllt und versagt. Das Märchen zeichnet eine andere Möglichkeit des Menschen, die des kontaktsicheren Wandelns und Handelns. In den beiden im Erzählgut des Volkes so eng verschwisterten Formen äußern sich nicht einfach Pessimismus und Optimismus, ihre Verschiedenheit hat ihren Grund nicht nur in einer anderen Anlage, Stimmung oder Weltsicht des Dichters oder des Erzählers, sondern in der Angelegtheit des Menschen als solchen. Der Mensch ist, wie die Sage ihn zeigt, äußerlich gemeinschaftsgebunden und innerlich auf sich gestellt und gefährdet; er kann aber zugleich, wie das Märchen ihn darstellt, in glücklichem Kontakt mit den Wesensmächten des Seins stehen und seinen Weg trotz aller Fehler, die er macht, und aller Schicksalsschläge, die ihn treffen, mit ruhiger Entschiedenheit gehen. Seinen heutigen Hörern, den Kindern, schenkt das in seiner Erzählweise faszinierend formklare Märchen nicht nur Zuversicht und Festigkeit, es zeigt ihnen, auch in unserer von den unheimlichen Mächten der Vermassung und des Nationalismus bedrohten Welt, den Menschen als einen seinem Wesen und seiner Bestimmung nach Isolierten, aber eben deshalb universal Kontaktfähigen, Allverbundenen.

In der Erzählweise, in der inneren und äußeren Form, im Stil des Märchens sehen wir einen Ausdruck einer bestimmten menschlichen und künstlerischen Haltung. Wir haben seine Eigenart namentlich im Kontrast zu Sage und Legende herausgearbeitet. Es ist indessen gewiß kein Zufall, daß alle diese drei Formen neben profanen auch numinose Motive in sich schließen. Alle drei Erzählgattungen zeugen auf ihre Weise von der in verschiedener Art vor sich gehenden Auseinandersetzung des Menschen in der Welt, zu der die «jenseitige», «mythische» Wirklichkeit gehört ebenso wie die diesseitige. Wenn sich auch der Mythus im engeren Sinne deutlich vom Märchen unterscheidet (der Mythus kann ausschließlich von Göttern oder anderen Jenseitigen erzählen, der Mensch braucht in ihm nicht vorzukommen, der Held des eigentlichen Märchens aber ist der Mensch), so hat man doch in der letzten Zeit die Gemeinsamkeiten wieder stärker betont, man hat sich der Auffassung der Brüder GRIMM, die das Märchen aus dem Mythus herleiten, von verschiedenen Seiten wieder genähert. «Das Märchen ist die verspielte Tochter des Mythus», sagt FRIEDRICH VON DER LEYEN[241]. KARL JUSTUS OBENAUER definiert: «Ein Märchen im engeren Sinn liegt da vor, wo aus dem Schatzhaus halb mythischer, halb magischer Bilder unter den Gesetzen epischen Erzählens diese scheinbar so kunstlose Form entsteht[242].» JAN DE VRIES, der in Übereinstimmung mit unserer Arbeit den sublimierenden und spielfreudigen Stil des Märchens betont[243], vermutet die Stelle seiner Entstehung überall da, wo eine mythische Kultur in eine rationalere übergeht. Je nach der Entwicklung eines Volkes tritt der Typus Märchen früher oder später auf, bei den Griechen vielleicht in der homerischen Epoche, welche die affektgeladenen Mysterienkulte abwies und den Göttern mit einer fast ironischen Freiheit gegenüberstand, im mittelalterlichen Frankreich zu jener Zeit, als die heroischen Chansons de geste dem Abenteuerroman zu weichen begannen. De Vries definiert den Mythus als Darstellung der Taten und Leiden eines Gottes und hält die Heldensage ebenso wie das Märchen für eine Art desakralisierter Mythen (beide ursprünglich von einer aristokratischen Gesellschaft gepflegt), nebeneinander oder nacheinander verschiedene menschliche Haltungen ausformend: die tragische, den Untergang und das Opfer betonende, und die heitere, die Verwandlungs- und Regenerationskraft des Helden ins Licht setzende. De Vries sieht in Mythos, Heldensage und Märchen trotz ähnlichen Themen und ähnlichem Handlungsschema grundsätzlich scharf von einander geschiedene Gattungen und warnt eindringlich davor, auf Grund bloßer «Märchenmotive» auf das Bestehen von Märchen in der betreffenden Epoche zu schließen: Es kann sich um Bestandteile von Mythen handeln. De Vries' Annahme der zeitlichen und örtlichen Polygenese der Gattung Märchen und der verschiedenen Möglichkeiten eines Nacheinanders und eines Nebeneinanders der Gattungen ist durchaus einleuchtend. Auch Epos und Drama sind bei verschiedenen Völkern zu verschiedenen Zeiten und nacheinander entstanden und haben sich doch zu nebeneinander lebenden Gattungen entwickelt. Was die nur zu erschließenden Wurzelgründe des Märchens betrifft, so ist neuerdings wieder vermehrt die schon von Leo Frobenius und von Karl Meuli[244] vermutete Abkunft aus Schamanenerzählungen in die Diskussion geworfen worden, so von Mircea Eliade, Friedrich von der Leyen, Luise Resatz[245]. Eliade sieht in den Märchen trotz ihrer sublimierenden Erzählweise doch die Struktur eines sehr ernsten und schweren Abenteuers nachgebildet: des Abenteuers der Initiation, d. h. des rituellen, durch einen symbolischen Tod und eine symbolische Auferstehung führenden Übergangs aus der Unwissenheit und Unreife in den Stand des eingeweihten Erwachsenen («à l'âge spirituel de l'adulte»). Die Märchen wären danach eine Art abgeschwächter Einweihungsvorgänge, in die Phantasiesphäre transponierte Initiationen. «Le conte reprend et prolonge l'initiation au niveau de l'imaginaire.» Von unserer Sicht aus dürfen wir dies als sehr wohl möglich bezeichnen. Im Märchen wird Schweres leicht gemacht. Dies ist nicht abwertend gemeint (wie überhaupt unsere Begriffe nicht nur negativen Sinn haben: Gewichtsverlust, Entleerung bedeutet zugleich Sublimation, Vergeistigung, flächenhafte Darstellung kann suggestiver wirken als plastische usw.). Das in der Anstrengung der magischen und kultischen Praxis Errungene wird auf einem rein geistigen Niveau, auf dem der Phantasie, der inneren Anschauung, zum Daseinselement. Neben lebendigen Initiationsriten entwickelt sich (und nach ihrem Aufhören erhält sich) das Märchen, durch dessen helle und gewichtlose Form die ursprüngliche Schwere noch hindurchschimmert und noch empfunden wird. Die abstrakte Stilform, die einerseits den Eindruck von Mühelosigkeit erzeugt, kann (wie es auch Otto Huth betont[208]) zugleich Zeichen ursprünglich ekstatischer Erlebnisse sein. Das Märchen ist vielleicht wirklich so etwas wie «un doublet facile du mythe et du rite initiatiques». «Ohne sich davon Rechenschaft zu geben, vielmehr im guten Glauben, sich bloß zu amüsieren oder zu entspannen, profitiert der moderne Mensch noch von jener imaginativen Einweihung, welche die Märchen gebracht haben («de cette initiation imaginaire apportée par les contes») . . . Man beginnt heute sich bewußt zu werden, daß das, was man Initiation nennt, zum Dasein des Menschen gehört, daß alle Existenz sich aufbaut aus einer ununterbrochenen Folge von «Erprobungen», «Todesvorgängen», «Auferstehungen» – gleichgültig mit was für Ausdrücken der moderne Sprachgebrauch jene ursprünglich religiösen Erfahrungen wiedergibt.» Die Erkenntnis der heutigen Volkskunde, daß Grundschichtliches in allen Menschen, auch in den sozialen und kulturellen Mittel- und Oberschichten des heutigen Europa weiterlebt[246], muß auch von der Märchenforschung berücksichtigt werden. Es ist bezeichnend, daß das Märchen das Interesse der Gebildeten gerade auch in rationalistischen Epochen findet: Bei der angeblich bloß der Unterhaltung dienenden leichten Lektüre kommen unterdrückte innere Erwartungen heimlich auf ihre Rechnung. In den sublimierten Figuren und Vorgängen des Märchens wirkt die ursprünglich mit ihnen verbundene Gefühlsintensität unterirdisch nach. Aber die Realität ist zum Spiel geworden, alles erscheint in einem leichteren, luftigeren Aggregatzustand als in der Wirklichkeit, aber auch noch als in Sage und Legende und wird eben deshalb von Hörern und Lesern müheloser aufgenommen und vollkommener assimiliert. Das Märchen ist, was Adalbert Stifter (Brief vom 16. 2. 1847 an Gustav Heckenast) von seiner eigenen Dichtung erhoffte: «einfach, klar, durchsichtig und ein Labsal wie die Luft»; aber mit deren reinen und starken Düften atmen wir die sublimierten Essenzen des Daseins ein.

Die *psychologische Märchenforschung* bemüht sich um die Aufdeckung der überindividuellen seelischen Vorgänge, die sich im Märchen spiegeln. Wenn der Traum für Freud die via regia zur Erkenntnis des persönlichen Unbewußten war, so sind Märchen und Mythen für C. G. Jung und seine Schule der Königsweg zur Erkenntnis des kollektiven Unbewußten. In dem seit dem Erscheinen des vorliegenden Werks verstrichenen Zeitraum von 12 Jahren sind eine Reihe aufschlußreicher Abhandlungen zur Psychologie des Märchens veröffentlicht worden. Wie überall in dieser kurzen Überschau können wir nur Beispiele herausgreifen. JOSEPHINE BILZ deutet in einer Untersuchung, die der 4. Auflage von Charlotte Bühlers bekannter Schrift über *Das Märchen und die Phantasie des Kindes* beigegeben ist (München 1958), das Märchengeschehen als Darstellung von Reifungsvorgängen: Der im Kinderspiel wie im Märchen häufig vorkommende Rollentausch (z. B. zwischen Kindern und Hexe in *Hänsel und Gretel*) und die ebenso häufigen Abholvorgänge (z. B. in *Rapunzel*, in *Rumpelstilzchen*) deuten auf Gestaltwandel, auf den Übergang von einer Entwicklungsstufe in eine andere (Kleinkind/Schulkind, Schulkind/Jugendlicher, Eintritt in die Ehe, in die Mutterschaft u. a.), der immer mit Not verbunden ist und sich in Schreckträumen und Abholphantasien äußert. Doch scheidet Bilz scharf zwischen dem Traum mit seinem undifferenzierten «archaischen Rohmaterial» und der künstlerisch geordneten Märchenerzählung. JUNG und seine Schüler sehen in den Märchen ebenfalls die Spiegelung oder Präformierung eines Entwicklungsvorgangs, und zwar speziell des Integrationsprozesses, der sich in der Lebensmitte vollzieht. Die Fahrt des Helden oder der Heldin in eine Unterwelt oder Überwelt oder in ein fernes Reich, die Heirat mit einem Tier sind für Jung Symbole einer Zuwendung zum Unbewußten, die zu einer gefährlichen, aber lebenswichtigen Auseinandersetzung zwischen Bewußtsein und Unbewußtsein führt, im günstigen Fall zur Synthese, zur seelischen Ganzheit. Der «zurückgebliebene» Bruder des bekannten Zweibrüdermärchens ist in dieser Sicht Repräsentant einer noch stärker mit den Mächten des Unbewußten vertrauten Komponente der menschlichen Seele und kann deshalb (ähnlich wie in anderen Märchen das helfende Tier) die Rettung herbeiführen. So werden die einzelnen Märchenfiguren als Teile der menschlichen Persönlichkeit gedeutet, das Märchen erscheint im wesentlichen als Darstellung eines innerseelischen Vorgangs. Die abstrakte Stilisierung, das Figurenhafte seiner Menschen und Tiere wird zum Zeugnis angerufen, daß es sich nicht um volle Individualitäten, nicht um die Darstellung einer äußeren, sondern einer inneren Wirklichkeit handle. Wenn dieser Schluß auch keine absolute Beweiskraft hat, so wird man doch zugeben, daß die Figuren und Geschehnisse des Märchens, gerade weil Seelisches nicht unmittelbar geschildert wird, leicht symbolisch genommen, als Bilder für innere Potenzen und Vorgänge empfunden werden können[247]. Trotz mancher Gewaltsamkeit enthält das monumentale Werk von HEDWIG VON BEIT und MARIE-LOUISE VON FRANZ, das eine Fülle von Material und von Einzeldeutungen bietet, viele interessante Gesichtspunkte und aufschlußreiche Hinweise[248]. Als Beispiel sei hier nur die Interpretation der vielberufenen Amoralität des Märchens skizziert: Mitleid mit den falschen Brüdern oder bösen Schwestern wäre nach v. Beit/v. Franz schwächliche Duldung verderblicher Triebe in der eigenen Seele, Loyalität gegenüber den streitenden Riesen hieße die Macht den primitiven Gewalten des Unbewußten überlassen; Faulheit des Helden kann eine Weigerung sein, sich den konventionellen Wertungen anzupassen, sie kann auf Verbundenheit mit dem Unbewußten hindeuten – die Faulheit Pechmaries freilich zeugt von einer verderblichen Verfallenheit ans Unbewußte, wie denn das Janusgesicht aller Phänomene und Haltungen im Märchen immer wieder zum Vorschein kommt. So führt die Auffassung des Märchens als Darstellung inneren Geschehens zu einer neuen Bewertung gewisser oft als unmoralisch bezeichneter Züge. Jung und seine Schüler haben *eine* Seite des Märchens mit Akribie erhellt. Daß das Märchen damit nicht zu Ende gedeutet ist, wissen sie selber. Eine Dichtung ist nie ins Letzte ausdeutbar, das Märchen ist auf verschiedenen Ebenen zu interpretieren, die Auseinandersetzung des Menschen mit der Außenwelt und mit dem Kosmos spiegelt sich in ihm ebenso wie die Auseinandersetzung des Menschen mit sich selber.

Die eigentlichen Betreuer des Märchens sind weder die Literaturwissenschaftler noch die Psychologen, sondern die *Volkskundler.* Die Früchte ihres liebevollen Sammelns treten in immer neuen wissenschaftlichen und populären Publikationen ans Licht, daneben liegen Tausende von Niederschriften in den volkskundlichen Archiven vieler europäischer Länder. Immer mehr hat sich das Prinzip der wortgetreuen Veröffentlichung durchgesetzt. Als Beispiel sei die vortreffliche, reich dokumentierte und kommentierte Ausgabe der Schleswig-Holsteinischen Märchen durch Kurt Ranke genannt[249]. Für Ranke ist «die große Menge der minder begabten Erzähler mit dem gleichen Recht zum tragenden Grund der Überlieferung zu rechnen . . . wie die wenigen guten». Von ähnlichen Gesichtspunkten geht Gottfried Henssen bei der Veröffentlichung von Mecklenburger Erzählungen aus; er druckt in manchen Fällen die baren Stichworte des Sammlers Richard Wossidlo ab, läßt aber doch die begabten Erzähler dominieren[250]. Die Märchen und Geschichten eines einzelnen ausgezeichneten Erzählers (dessen Aschenputtel-Version wir oben S. 101 besprochen haben) ediert Henßen, der Leiter des Volkskunde-Archivs in Marburg, in *Überlieferung und Persönlichkeit. Die Erzählungen und Lieder des Egbert Gerrits* (München 1951). – Die große, von Friedrich von der Leyen herausgegebene

Reihe der *Märchen der Weltliteratur* des Diederichs-Verlags wird nach und nach neu aufgelegt und fortgesetzt; ihr zur Seite ist nach dem Krieg eine kleinere, unter dem Titel *Das Gesicht der Völker* vom Erich Röth Verlag herausgegebene Sammlung getreten. Beide Sammlungen richten sich an einen weiten Leserkreis und wählen deshalb möglichst gut erzählte Stücke aus; nicht selten erlaubt sich der Herausgeber oder der Übersetzer eine leichte Bearbeitung, oder er stützt sich auf einen bereits bearbeiteten Text. Bisher nicht veröffentlichte Märchen in Originalsprache und Übersetzung bringen die seit 1956 erscheinenden Jahresgaben der «Gesellschaft zur Pflege des Märchengutes der europäischen Völker»[251]. Auch WALDEMAR LIUNGMAN bietet in seiner großen, dem Wissenschaftler wie dem Liebhaber ebenso willkommenen Sammlung schwedischer Volksmärchen meist bisher ungedruckte, zum großen Teil selbst gesammelte Erzählungen[252]. In Frankreich begründete PAUL DELARUE 1955 ein großes, den *Märchen der Weltliteratur* entsprechendes Unternehmen, die *Contes des cinq continents*. Noch wichtiger sind seine *Contes merveilleux des provinces de France*, deren einzelne Bände je in einer populären und in einer wissenschaftlichen Ausgabe erscheinen (seit 1953) und meist unveröffentlichtes Material bieten. Gekrönt wird Delarues Lebensarbeit durch die Publikation eines umfassenden, ausführlich kommentierten Katalogs der französischen Volksmärchen, dessen erster Band kurz nach Delarues Tod erschienen ist[253]. Österreich und Italien haben in den 50er Jahren ihr repräsentatives Märchenbuch, ihren «Grimm» geschenkt bekommen: KARL HAIDING hat *Österreichs Märchenschatz* herausgegeben, ITALO CALVINO die *Fiabe Italiane*[254]. Beide Werke enthalten wertvolle wissenschaftliche Anmerkungen; Haiding vermochte eine größere Anzahl selbst aufgezeichneter Märchen beizusteuern. Die Texte sind, da sich beide Bücher an ein großes Publikum wenden, sprachlich und zum Teil auch inhaltlich bearbeitet; Calvino, der sich öfters eigene dichterische Ausschmückungen und Einschaltungen erlaubt, hat dabei leider die Grenze des Zulässigen überschritten. In manchen der erwähnten und vielen anderen Ausgaben wird der Persönlichkeit der Erzähler und Erzählerinnen, der Rolle des Märchens und Märchenerzählens im Dasein des Einzelnen und der Gemeinschaft, der sogenannten Märchenbiologie also, große Aufmerksamkeit geschenkt. Seit dem Buche M. ASADOWSKIJS über *Eine sibirische Märchenerzählerin* (Helsinki 1928, FFC 68) sind immer wieder auch selbständige Arbeiten über das Leben volkstümlichen Erzählguts und über Erzählschatz, Erzählweise und Daseinsform einzelner Erzähler erschienen. Repräsentativ für diese Forschungsrichtung sind Namen wie J. H.

Delargy (Irland), Gottfried Henssen, Hermann Bausinger (Deutschland), Leza Uffer (Schweiz), Karl Haiding, Elli Zenker (Österreich), Milko Matičetov, Maja Bošković (Jugoslawien) und Titel wie «*Lebendiges Erzählen*» (Bausinger, Dissertation Tübingen 1952) oder «*Von der Gebärdensprache der Märchenerzähler*» (Haiding, FFC 155, Helsinki 1955).

Die Zusammenstellung von Katalogen, Typen- und Motivverzeichnissen ist eine der imponierendsten Leistungen der volkskundlichen Erzählforscher. Von internationaler Geltung ist das von Antti Aarne erstellte und von Stith Thompson erweiterte Verzeichnis der Märchentypen, das Tiermärchen, eigentliche Märchen (Zaubermärchen, legendenartige, novellenartige Märchen, Teufels- und Riesenmärchen) und Schwänke (incl. Lügenmärchen) unterscheidet[255]. Die in zahllosen Varianten auf der ganzen Welt umlaufenden Erzählungen werden auf gewisse Grundtypen zurückgeführt. So findet man das von uns oben S. 107 gestreifte Zweibrüdermärchen in der Abteilung Zaubermärchen unter dem Stichwort «Übernatürliche Gegner» als Typ 303 (Die Zwillings- oder Blutsbrüder), mit Rückweis auf Typ 300 (Der Drachentöter), der als Teil des Brüdermärchens auftritt. Aarne gibt eine knappe Inhaltsangabe, Thompson gliedert sorgfältig in Episoden auf. Den berühmten Zug, daß der zweite Bruder, der von der Königin oder Prinzessin für den ersten, für ihren Gemahl, gehalten wird, ein Schwert zwischen sich und sie legt, finden wir als dritten Zug der vierten Episode (The chaste brother): At night he lays a naked sword between himself and her. Weit umfangreicher als das Typenverzeichnis ist Thompsons Motiv-Katalog[256], der unter Titeln wie Animals (B), Tabu (C), Ogres (G), Unnatural Cruelty (S) ungefähr 40000 Einzelmotive unterscheidet. Unser Schwertmotiv finden wir in der Abteilung Sex (T) unter ‹Chastity and celibacy› als ‹Sword of Chastity› (T 351) in der Untergruppe ‹Chaste sleeping together› (T 350–356). Thompsons Typenverzeichnis und sein Motiv-Index enthalten Verweise auf einander, ferner auf Bolte-Polívkas fünfbändige *Anmerkungen zu den Kinder- und Hausmärchen der Brüder Grimm* (Leipzig 1913–1932), die die Struktur vieler Tausender von internationalen Märchenvarianten durch Bezeichnung der Motive mit Buchstaben und Zahlen signalisieren (z. B. A^4BC^3DE oder B^1CDE^1F). Ferner enthält der Motiv-Index Hinweise auf Spezialliteratur zu den einzelnen Motiven. Ursprünglich als Hilfsmittel für die Forschungen der Finnischen Schule (s. u. S. 112f.) gedacht, haben sowohl das Typen- wie das Motivverzeichnis Eigenwert bekommen als großangelegtes Themen- und Typenalphabet der Volkserzählung, das für analoge Unternehmen im Bereiche der höheren Literatur als Vorbild dienen dürfte.

Den Volkskundlern verdanken wir auch die wichtigsten Forschungsberichte, die seit dem 2. Weltkrieg erschienen sind. Sie stammen von WILL-ERICH PEUCKERT[257], LUTZ RÖHRICH[258] und KURT RANKE[259]. In der von Ranke herausgegebenen *Fabula* ist im Jahre 1957 eine dreisprachige *Zeitschrift für Erzählforschung* geschaffen worden, die laufend über Neuerscheinungen orientiert, zu den besprochenen Sammlungen ergänzende Typenverzeichnisse erstellt, eigene Aufsätze bringt und in zwei Supplementserien Texte und Untersuchungen veröffentlicht. Die beiden Reihen treten an die Seite des finnischen Unternehmens der *Folklore Fellows Communications* (FFC), das seit 1910 Märchenstudien und andere folkloristische Arbeiten herausgibt, die meisten in deutscher, einige in englischer oder französischer Sprache. Ein großes Kollektiv von Forschern aller Richtungen bereitet unter Rankes Leitung eine internationale *Encyclopädie des Märchens* vor, die an die Stelle von Lutz Mackensens unvollendet gebliebenem *Handwörterbuch des deutschen Märchens* (1930–40) treten soll. Von den volkskundlichen Einzelleistungen sei LUTZ RÖHRICHS gewichtiges Buch über «Märchen und Wirklichkeit» genannt[260]. Es stellt nicht nur Sitten, Riten, Elemente ethnischen, sozialen, zeitgeschichtlichen und geographischen Milieus sowie Glaubensinhalte und Denkgewohnheiten, die sich im Märchen spiegeln, zusammen, wobei versunkene wie moderne Wirklichkeit berücksichtigt wird, sondern stellt die grundsätzliche Frage, worauf die allgemeinmenschliche Bereitschaft für das Märchen beruhe. Dem Volkskundler Röhrich ist das Motiv wichtiger als der Stil («Die Gattungen wechseln, aber die Motive bleiben»), und er betont den Bezug des Märchens zur Realität stärker als jenen zum Nichtwirklichen. Zwar nimmt er an, daß es im Märchen wohl von Anfang an auch eine phantastisch-fabulierende Richtung gegeben habe; wir aber möchten ein Gebilde, in dem Wirklichkeitsbezug und dichterisches Komponieren sich noch nicht vermählt haben, überhaupt nicht als Märchen bezeichnen. Die Grundmotive des menschlichen Daseins werden sich freilich in der Erzählliteratur aller Zeiten nachweisen lassen, und auch Motivkomplexe können sich lange erhalten und von einer Gattung in die andere übertreten, ohne auseinanderzubrechen – aber nicht ohne ihr Gesicht zu verändern. Der innere Zwang, charakteristisch verschiedene Gattungen auszubilden, gehört ebenso zur Geschichte des menschlichen Geistes wie der Drang zur Bildung bestimmter Motivgruppen. Mit Recht betont Röhrich, daß erst das Zusammentreffen einer Mehrzahl von

Kriterien uns erlaube, eine Erzählung als Märchen zu bezeichnen. Statt aber wie Röhrich daraus den Verzicht auf eine Definition abzuleiten, ziehen wir den Schluß, daß die Begriffsbestimmung des Märchens Gehalt und Gestalt erfassen muß. Wir sehen im Märchen eine Abenteuererzählung, die raffend, sublimierend und ordnend die wesentlichen Bezüge des menschlichen Daseins zur Darstellung bringt[261]. Mit den Bezeichnungen Sublimation und Welthaltigkeit (in dem Sinne, wie wir sie in diesem Buche definierten) glauben wir das Märchen von der formalen und von der motivischen Seite her bestimmt zu haben; mit dem Terminus Abenteuererzählung (ad-ventura) ist zugleich die Hauptfigur, der seine Bahn wandelnde, mit dem auf ihn Zukommenden reaktiv sich auseinandersetzende menschliche Held gefaßt. Röhrichs aufschlußreiches und vorsichtiges Buch ist der in der Berichtszeit wichtigste Beitrag zur Interpretation des Märchens durch Kultur- und Religionsgeschichte und umgekehrt, ist insofern also jener Forschungsrichtung zuzurechnen, die von Will-Erich Peuckert als die volkskundlich wesentlichste und fruchtbarste bezeichnet wird.

Als rein volkskundlich werden oft die Arbeiten der sogenannten finnischen Schule angesehen, die sich heute zur finnisch-skandinavisch-amerikanischen erweitert hat. Sie bemüht sich um den Nachweis der Wanderwege der einzelnen Märchentypen und die Auffindung der Entstehungszentren und versucht durch sorgfältigen Vergleich aller bekannten Varianten einen Stammbaum von Untertypen zu unterscheiden und schließlich zu einer Urform (Archetyp) oder wenigstens zu einer Grundform durchzustoßen[262]. Wie Will Erich Peuckert und andere betont haben, verbirgt sich darin ein wesentlich literaturwissenschaftliches Anliegen. Daß heute der Eifer für solche Untersuchungen und die Anteilnahme an ihnen nachgelassen haben, liegt kaum nur daran, daß sie wegen der Fülle des Materials sehr zeitraubend und schwierig geworden sind und daß der Glaube an die Möglichkeit der Konstruktion einer zuverlässigen Urform erschüttert ist, sondern zugleich in einer Verlagerung des Interesses (auch innerhalb anderer Wissenschaften) von der Erforschung der Abhängigkeitsverhältnisse auf die der Phänomene selber. Die Unzahl der Varianten kann den Blick von der einzelnen Erzählung ablenken, deren Eigenwert man heute wieder stärker empfindet. Aber die großen Monographien behalten auch unabhängig von den speziellen Zielen und Dogmen der Finnen und Schweden ihren Wert. Sie geben zwar nicht die Stilgeschichte, aber doch die Strukturgeschichte der verschiedenen Märchentypen, so weit sie überhaupt zu fassen ist. Niemand, der sich mit einem einzelnen Märchen beschäftigt, wird auf die umfassenden Untersuchungen des betreffenden Typs verzichten wollen. Seit dem zweiten Weltkrieg sind in vorbildlicher Weise der Aschenputtel-Zyklus (ATh 510 u. 511), die Märchen vom Amor- und Psyche-Typus (ATh 425 u. 428) und jene vom Frau-Holle-Typus (ATh 480) untersucht worden, durch ANNA BIRGITTA ROOTH, JAN-ÖJVIND SWAHN und WARREN E. ROBERTS[263]. Die Monographie des Drachentöter- und Zweibrüdermärchens, das wir in diesem Kapitel öfters erwähnt haben, ist schon früher von KURT RANKE geschrieben worden[264]. Einen umfassenden Überblick über Herkunft, Verbreitung, Wanderwege aller wichtigeren Märchen und märchenähnlichen Erzählungen bei Kultur- und Naturvölkern gibt STITH THOMPSON in *The Folktale*, einem Standardwerk, das 1953 in zweiter Auflage (New York) erschienen ist; es enthält einen ‹Index of Tale Types› und einen ‹Index of Motifs›, die dem Leser Grundgerüst und Quintessenz der großen, oben (S. 110) besprochenen Typen- und Motivkataloge Thompsons vermitteln. Alle Richtungen der Märchenforschung berücksichtigt FRIEDRICH VON DER LEYEN in seinem Versuch über *Das Märchen*, an dessen 4. Auflage (Heidelberg 1958) KURT SCHIER mitgearbeitet hat. Das Büchlein orientiert über die wichtigsten Forschungsleistungen, Forschungsziele und -wege und charakterisiert treffend die verschiedenen Ausprägungen der Märchen bei den einzelnen Völkern, ähnlich wie es von der Leyen, gestützt hauptsächlich auf die *Märchen der Weltliteratur*, in den beiden Bänden *Die Welt der Märchen* (Düsseldorf 1953 und 1954) in vollerer Form durchgeführt hat. Das Buch des Literaturwissenschaftlers KARL JUSTUS OBENAUER fragt in erster Linie nach dem Sinngehalt der Märchen, äußert sich u. a. über Zahl- und Tiersymbole und gibt eine Reihe von Einzelinterpretationen (*Das Märchen. Dichtung und Deutung*. Frankfurt a. M. 1959). Zuletzt sei noch WILHELM SCHOOFS Beitrag *Zur Entstehungsgeschichte der Grimmschen Märchen* (Hamburg 1959) erwähnt, der die Gewährsleute der Brüder Grimm schildert, ihre Beiträge würdigt und außerdem aus dem Grimmschen Nachlaß Urfassungen und nachgelassene Märchen bekanntgibt, die bisher nur in Zeitschriften oder gar nicht veröffentlicht worden sind.

So endet unser knapper Überblick über die Märchenforschung seit dem zweiten Weltkrieg, wie es sich gebührt, bei den Begründern der Wissenschaft vom Märchen, bei den Brüdern GRIMM. Sie waren Volkskundler, Literaturwissenschaftler und Mythendeuter in einem. Heute kann nur eine Zusammenarbeit der verschiedenen Wissenschaften dem Märchen gerecht werden. Jeder Einzelne, der sich von seinem Fach aus mit dem Märchen sorgfältig befaßt, dient damit auch dem andern Fach.

Der Literaturforscher leistet, sofern er das Volksmärchen zutreffend interpretiert, damit gleichzeitig auch volkskundliche Arbeit, und der Volkskundler literaturhistorische. Ebenso erweist der Psychologe beiden Wissenschaften Dienste und darf selber sich auf volkskundliche und literaturwissenschaftliche Untersuchungen stützen. Weder die einzelnen Forscher noch die verschiedenen Disziplinen haben Grund, einander mit Mißtrauen zu betrachten, ihr Bestes geben sie in der Zusammenarbeit. Die Spezialisierung ist seit den Zeiten der Grimms mächtig fortgeschritten. Eines aber ist damals wie heute in gleicher Weise nötig: die Liebe zum Gegenstand. Die Brüder Grimm waren nicht nur Erforscher, sondern auch Liebhaber des Volksmärchens. Wenn der heutige Forscher dieselbe Ehrfurcht vor den einzelnen Erzählungen hat, dann schadet es nichts, wenn er sie mit noch so scharfem Instrument zu ergründen sucht. Geschickt befragt, vermag das Märchen, eine Urform der Erzählung, uns Aufschluß zu geben über das Wesen der Dichtung und über das Wesen des Menschen. In seinen verschiedenen Spielarten und in den einzelnen Versionen äußern sich verschiedenartige allgemeinmenschliche Bedürfnisse und Einstellungen, aber auch die lebendige Vielfalt der Epochen, Nationalitäten, Landschaften, sozialen Schichten und Persönlichkeiten. Jedes einzelne Märchen hat seinen eigenen Sinn, es läßt sich nach verschiedenen Gesichtspunkten untersuchen und deuten; zugleich zeichnen die Märchen in ihrem Zusammenklang ein übergreifendes Bild des Menschen und der Welt. Die Versuche psychologisch-anthropologischer Einzeldeutung (wie man sie bei Jung und seiner Schule findet) und der Versuch, Wesen und Eigenart der Gattung zu erfassen (wie er in diesem Buche gewagt wurde), schließen einander nicht aus, sondern ergänzen einander. Die einzelne Erzählung hat den Wert und den Reiz des Einmaligen, zugleich aber den Vorzug, einer überpersönlich gültigen Gattung anzugehören und an deren innerer Notwendigkeit teilzuhaben. So führt uns das Märchen mitten ins reich nuancierte Leben des Volks und des Einzelnen und zugleich zu den großen Konstanten des menschlichen Daseins.

STRUKTURALISTISCHE MÄRCHENFORSCHUNG

Würdigung der Leistung V.J. Propps

In den 60er und 70er Jahren hat, unter dem Eindruck von Vladimir Propps 1928 erschienener, aber erst 1958 ins Englische, später auch in andere Sprachen übersetzter «Morphologie des Märchens»[265], eine lebhafte strukturalistische Märchenforschung eingesetzt. Propps Strukturanalyse ist eine Art Gegenstück zu der im vorliegendem Buch angestrebten Stilanalyse; sie soll daher hier kurz charakterisiert und kritisch gewürdigt werden.

Propps grundlegende Entdeckung: Es gibt zahllose Zaubermärchen (nur mit ihnen befaßt sich seine Untersuchung, nicht mit Novellen-, Legenden- und Schwankmärchen), die völlig verschiedenen Inhalt, aber gleiche Struktur haben. Man könnte sagen: So wie es auch in der Sprache zahllose Sätze von ganz verschiedenem Inhalt, aber gleichem Bau gibt. Propp sieht in der Struktur das Konstante, Invariable, der Inhalt ist variabel. Der Vergleich mit dem sprachlichen Satz legt einen Einwand nahe: Es kann umgekehrt eine und dieselbe Aussage in ganz verschieden gebauten Sätzen formuliert werden; in diesem Falle bleibt der Inhalt konstant, die Struktur (Reihenfolge der Satzglieder, Haupt- oderNebensatzkonstruktion u.a.) ist variabel. Amerikanische Forscher sind so weit gegangen, der Proppschen These entgegenzuhalten, es sei letztlich eine Frage des Standpunkts, ob man den Inhalt oder die Struktur, die Aktöre oder die Aktionen als die Konstanten bzw. Variablen bezeichne[266]. In der Tat würde man statt von konstanten und variablen besser von strukturbildenden und nichtstrukturbildenden Elementen sprechen, Termini, die Propp selber im Nachwort zur italienischen Ausgabe seines Werks verwendet (elementi costruttivi – elementi non costruttivi[267]). Ich möchte aber Propp zubilligen, daß tatsächlich im Volksmärchen, und zwar nicht nur im Zaubermärchen, die Aktionen von größerer Konstanz und von höherer Relevanz sind als die Träger dieser Aktionen. Propp macht das durch die folgende Gegenüberstellung deutlich: «1.) Der Zar gibt einem Burschen (Helden) einen Adler. Dieser bringt ihn in ein anderes Reich. 2.) Der Großvater gibt Sučenko ein Pferd. Das Pferd bringt Sučenko in ein anderes Reich. 3.) Ein Zauberer gibt Ivan ein kleines Boot. Das Boot bringt Ivan in ein anderes Reich. 4.) Die Zarentochter gibt Ivan einen Ring. Die Burschen, die aus dem Ring heraussteigen, bringen Ivan in ein anderes Reich[268].» In diesen Beispielen sind offensichtlich die Aktionen wichtiger als deren Träger. Die Subjekte können ersetzt werden, die Prädikate bleiben dieselben. Statt Zar kann man ohne weiteres Zarentochter, Großvater, Zauberer einsetzen, als Mittel der Fortbewegung kann ein Adler, ein Pferd, ein Boot oder ein Zauberring (sei es direkt, sei es, wie hier, indirekt) fungieren, die Vorgänge aber bleiben sich gleich. Wieder ist ein Blick auf sprachliche Tatbestände nützlich: Der Bau der Sätze ist weit konstanter als ihr Inhalt, es gibt unermeßlich viel mehr Sätze mit gleicher Struktur als mit gleicher Aussage. Zudem hat die Sprachforschung den Vorrang des Prädikats vor den anderen Satzteilen längst erkannt. Entsprechend ist im Märchen (und auch in andersartigen Erzählungen) die Struktur konstanter als die Aussage, als der «Inhalt», die Thematik, der Stoff, wenn auch nicht im gleichen Maße wie im sprachlichen Satz. Propp unterschätzt die Bedeutung und die eindrückliche Konstanz der Handlungsträger. Zwar können sie im Märchen leichter als etwa in der Sage ausgewechselt werden, und nicht in jedem «Zaubermärchen» kommen Zauberdinge oder Zaubervorgänge vor – aber aus der Gattung als solcher sind weder König, Prinz, Prinzessin, Hexe noch Zauberdinge wegdenkbar. Wie die stereotypen Handlungen und Handlungsfolgen kehren auch die genannten Figuren und Dinge mit bemerkenswerter Konstanz wieder. Sie tragen ihr Teil dazu bei, dem Zaubermärchen sein Gepräge zu geben. Würden die Könige, Prinzessinnen und Hexen durchgehend durch Gestalten der Alltagswirklichkeit ersetzt, und entsprechend die Zauberpferde oder -ringe durch Flugzeuge, so könnte zwar die Erzählstruktur erhalten bleiben, aber der Charakter der Gattung würde dennoch entscheidend verändert, ihre Symbolkraft wäre geschwächt und von anderer Art.

Wenn verschiedenartige Figuren oder Vorgänge gleiche Wirkungen, also innerhalb der Erzählung die gleiche Funktion haben, spricht Propp von *Transformation*. Befehl, Bitte (etwas zu holen), Auftrag, Verstoßung sind nur Variationen, Transformationen des Grundelements Aussendung. Der Ausdruck «Transformation» suggeriert, daß eine bestimmte Form als ursprünglich anzusehen sei; im genannten Beispiel wäre es nach Propp der (von Drohungen und Versprechungen begleitete) Befehl[269]. Die archaisch religiöse, die heroische, die phantastische Gestalt eines Elements wäre als primär, die realistisch-rationalistische als sekundär anzusehen[270]. (Mit dieser These, in seinem Aufsatz über Transformationen enthalten, verläßt Propp die bloße Beschreibung und schreitet zu historisch-genetischen Vermutungen, die er dann in seinem späteren Buch über die geschichtlichen Wurzeln des Volksmärchens ausgebaut hat[271].) Als Beispiele für weitergehende Transformationen nennt Propp u.a. die Verkehrung: Statt einer männlichen Figur wird eine weibliche gesetzt oder umgekehrt, statt einer verschlossenen Hütte eine mit weit geöffneter Tür[272]. Ein Ding kann an die Stelle einer Person treten: Der zu suchende kostbare (eventuell zauberische) Gegenstand ist eine Transformation der zu suchenden Prinzessin mit den goldenen Locken[273]. Ein zauberisches Hilfsmittel kann dieselbe Funktion haben wie der übernatürliche Helfer[274]. Eine Art Transformation ist auch die Nullstufe: Prüfung ohne Prüfenden[275]. Wenn Propp erklärt, es gebe, was die Struktur betreffe, nur einen einzigen Typ des Zaubermärchens, am gültigsten sei er repräsentiert durch das Märchen vom Drachentöter[276], so betrachtet er offenbar alle anderen Zaubermärchen als Transformationen dieses Märchens (dem er damit auch zeitliche Priorität zuschreibt).

Eine Gefahr dieser Betrachtungsweise, die letzten Beispiele haben es gezeigt, ist die Vergewaltigung des Materials; wer alles auf ein Grundelement zurückführen will, dem scheint auch das Verschiedenste «nichts anderes als eine Transformation» zu sein[277]. Jedoch: Um Propps Position und Intention gerecht zu werden, muß man sich vergegenwärtigen, worauf es ihm ankommt: auf die Auswirkung jedes Elements auf die Handlung. Von daher gesehen kann wirklich die Suche nach dem Lebenswasser im wesentlichen die selbe Funktion haben wie die Suche nach einer Prinzessin, die abschließende Hochzeit die selbe wie eine bloß materielle Belohnung. Propp nennt folgerichtig die von ihm als konstant deklarierten Grundelemente der Handlung im Zaubermärchen «Funktionen» (genauer «Funktionen der handelnden Personen»[278]). Da der absolute Gebrauch dieses Worts befremdend wirkt, hat Alan Dundes vorgeschlagen, ihn durch den Terminus Motivem (motifeme) zu ersetzen[279], andere sprechen von function slots[280]; beide Termini deuten an, daß es sich um Strukturschablonen handelt, die verschiedenartig gefüllt werden können, so etwa das Motivem Verbot (nach Propp die «Funktion» Verbot) durch das Verbot, auf die Straße zu gehen, oder durch das Verbot, eine bestimmte Kammer zu betreten (also durch spezifizierte Motive, von Dundes Allomotive genannt).

Daß für Propp die Funktion eines Elements das wesentliche ist (die Handlungsfunktion, nicht die symbolische Funktion – die Vieldeutigkeit des Ausdrucks «Funktion» würde es empfehlen, dem Vorschlag von Dundes zu folgen), läßt erkennen, daß es ihm um den Stellenwert, um die Einordnung des einzelnen Elements ins Ganze geht. Man kann von Überwindung des motif-hunting, des Atomismus sprechen[281]. Dies kommt einem wesentlichen Bedürfnis unseres Jahrhunderts entgegen, das den Satz «Das Ganze ist vor dem Teil» als einen seiner Leitbegriffe kennt. Aber auch Propps Transformationslehre, die er im Gefolge von

Goethes Morphologie («Metamorphose der Pflanzen», «... der Tiere») entwickelt, entspricht heutigen Bedürfnissen, ja dem allgemein menschlichen Streben nach Rückführung der Vielfältigkeit auf Einheit überhaupt. Durch sein Bekenntnis zu Goethe gibt Propp zu erkennen, daß er in der Formation der Märchen ähnliche Kräfte (er spricht von «ehernen Gesetzen»[282]) wirksam sieht wie in der Natur, daß also die Märchen, wie schon die Brüder Grimm es sahen, sich gleichsam von selber machen. «Das Reich der Natur und das des menschlichen Wirkens sind nicht zu trennen. Es gibt etwas, was beiden gemeinsam ist: gleichartige Gesetze, die mit verwandten Methoden studiert werden können», mit «exakten Methoden» nämlich, wie sie heute in den Geisteswissenschaften ebenso wie in den Naturwissenschaften verwendet werden[283].

Propp beschränkt sich in seiner Untersuchung streng auf das russische Zaubermärchen, ist aber überzeugt, daß seine Ergebnisse, sofern sie richtig sind, mit geringfügigen Modifikationen auch für das nichtrussische Material Gültigkeit haben[284]. Es gehört zu seinen wichtigsten Thesen, daß die Zahl der «Funktionen» begrenzt sei; er nennt 31 mögliche Funktionen (andere Forscher haben versucht, diese Zahl zu reduzieren[285]). Die einzige unentbehrliche Funktion sei das Fehlelement (Mangelsituation oder – durch einen Schädiger verursachter – Schaden). So kommt Propp zu der folgenden Definition: «Morphologisch gesehen kann als Zaubermärchen (conte merveilleux) jede Erzählung bezeichnet werden, die sich aus einer Schädigung oder einem Mangel über vermittelnde Funktionen zur Hochzeit oder anderen abschließenden (entwirrenden) Funktionen entwickelt[286]». Im Rahmen einer solchen Definition würde besser auf die Nennung der Hochzeit verzichtet, sie ist ein bloßes Motiv, während Schädigung und Mangel deutlich Motiveme sind. Wesentlicher ist die Frage, ob die Definition nicht zu weit sei: Propp verzichtet darauf zu eruieren, welche Minimalzahl von Funktionen für die Konstituierung eines Zaubermärchens erforderlich ist[287]. Mangel und Behebung des Mangels aber ist eine Formel, die nicht nur für das Zaubermärchen, sondern für viele andere Erzählungen und Lebenswirklichkeiten gilt – die moderne Biologie sieht den Menschen als ein Mangelwesen, das eben deswegen aufgerufen ist, die Mängel zu beheben (und dadurch weiter kommt als andere Lebewesen, die in sich vollendeter sind). Es geht dem Menschen und ebenso dem Märchenhelden ein wenig so wie «Saul, ... der ausging, seines Vaters Eselinnen zu suchen, und ein Königreich fand[288]». Mangel (Schaden) und Behebung des Mangels (Schadens): diese Formel deutet auf ein Grundphänomen. Paul Helwig, in seiner «Dramaturgie des menschlichen Lebens», formuliert: «Leben ist das, was durch Einbau von Hindernissen zwischen Start und Ziel des Begehrens entsteht[289]». Nicht nur der Mensch, sondern jedes Lebewesen lebt in dem durch die genannte Formel eingefangenen Rhythmus. Es scheint mir eine wesentliche Leistung der Proppschen Definition zu sein, daß sie, ohne dies zu beabsichtigen, den Märchenhelden als einen Repräsentanten des Menschen, ja des Lebensträgers überhaupt aufzeigt. Andererseits ist sie eben deshalb zu weit. Propp selber sagt aus, daß sie zum Beispiel auch für Mythen gilt[290], Meletinskij erinnert daran, daß es im Mythos oft um die Behebung eines die Gruppe betreffenden (eines «kollektiven») Fehlelements gehe[291]; der mythische Heros muß z. B. die Erde aus dem Wasser heraufholen oder das Sonnenlicht zurückbringen. Propp rückt das Märchen, das er vom Mythos herleiten zu müssen glaubt, zu nahe an diesen heran. Eleasar Meletinskij macht (gegen Lévi-Strauss und Greimas polemisierend, aber damit auch Propp treffend) auf gewichtige Strukturunterschiede aufmerksam: Während Prüfungen, Tests (trials) für das Zaubermärchen charakteristisch sind, spielen sie im Mythos eine unbedeutende Rolle[292]. Im Märchen sind die Gaben der Jenseitigen nur Mittel zur Bewältigung von Aufgaben und Kämpfen, das schließlich zum Ziel (königliche Hochzeit u.a.) führt; im Mythos (und in «mythologischen Erzählungen») hingegen ist der Gewinn von Natur- und Kulturgütern, von Schutzgeistern u.a. das Ziel; die Heirat (etwa mit einer Tiergemahlin) kann bisweilen ein Mittel zur Erreichung dieses Ziels sein: Was im Märchen Ziel ist, ist im Mythos und in der mythologischen Erzählung Mittel[293]. Nicht strukturell ist der schon erwähnte Unterschied, daß es sich im Märchen beim Motivem «Mangel» in der Regel um ein individuelles, im Mythos um ein kollektives Fehlelement handelt. Dazu kommt, daß mythisches Geschehen sich sehr wohl unter nur außermenschlichen Wesen abspielen kann, während dies beim Zaubermärchen, für das menschliche Helden, Heldinnen und Partner geradezu repräsentativ sind, undenkbar wäre[294]. Die beiden letztgenannten Punkte machen deutlich, daß auch nichtstrukturelle Unterschiede Wesensunterschiede sein und mit deutlicher Konstanz auftreten können.

Von den 31 durch Propp festgestellten «Funktionen» seien einige als Beispiele genannt. Dem Mangel entspricht die Beseitigung des Mangels, dem Verbot folgt die Übertretung, der Täuschung das Sichtäuschenlassen (wodurch, eine interessante Feststellung, der Held zum Komplizen des Antagonisten werden kann), der Erprobung (Test) folgt der Empfang des Zaubermittels, dem Kampf der Sieg – die binäre Verkoppelung ist offensichtlich, zum Teil schon quasi definitionsmäßig gegeben.

Wie weit auch sonst die von Propp postulierte grundsätzlich immer gleiche Reihenfolge gilt, ist umstritten[295]. Die 31 Funktionen verteilen sich auf 7 Handlungsträger: den Antagonisten (villain), den Geber (der das Zaubermittel aushändigt), den Helfer, die gesuchte Person (Königstochter u.a.), den Sender, den Helden, den falschen Helden (Unhelden bzw. Usurpator). In Wirklichkeit handelt es sich hier um Rollen, nicht um Personen; denn einerseits kann eine Figur mehrere dieser Rollen übernehmen, andererseits können mehrere Figuren sich in eine der genannten Rollen teilen. Die bloße Aufzählung der von Propp herausgeschälten «Funktionen» und Rollen offenbart schon als solche, ganz abgesehen von der Art ihrer syntagmatischen Verknüpfung, etwas vom Charakter des Zaubermärchens. Durch Bestimmung der Minimalzahl der Zwischenglieder (der zwischen Mangel und Behebung des Mangels «vermittelnden Funktionen») müßte die Proppsche Definition erweitert, durch Einbezug der den Märchen*stil* konstituierenden Züge müßte sie ergänzt werden. So wie sie jetzt formuliert ist, gilt sie, selbst wenn man das 7-Rollen-Schema – auch da gibt Propp keine Minimalzahl an – in sie integriert, über das Zaubermärchen hinaus auch für andere Erzählungen und, wie gezeigt, sogar für außerliterarische Lebensvorgänge.

Propp sieht in seiner Strukturuntersuchung eine notwendige Voraussetzung sowohl für historisch-genetische Märchenforschung wie für Stilanalysen[296]; denn zu allererst müsse man feststellen, was das Zaubermärchen eigentlich sei. Das halte ich für fast ebenso falsch wie die Auffassung der finnischen Schule, erst nach Feststellung der ursprünglichen Gestalt der verschiedenen Märchentypen könne man an deren Interpretation gehen[297]. Es gibt eine Vorverständigung über den Begriff des Zaubermärchens und des Volksmärchens überhaupt, die durchaus hinreicht (strenge Definitionen sind immer problematisch). Propp selber stützt sich ja auf die Nummern 50 bis 151 der Afanas'evschen Sammlung, nimmt also die Vorentscheidung Afanas'evs, welche Erzählungen als Zaubermärchen zu betrachten seien, an. Stilistische Untersuchungen können unabhängig von Strukturuntersuchungen unternommen werden, ebenso historisch-genetische. Propp, der mit Entschiedenheit erklärt, die synchronische Untersuchung müsse der diachronischen vorausgehen[296], nimmt in seiner späteren historischen Untersuchung (über die Wurzeln des Zaubermärchens) auffallend wenig Bezug auf seine Strukturanalyse.

Propps Strukturanalyse, hier muß man ihn gegen ihn selber in Schutz nehmen, ist eigenen Rechts, keine bloße Vorstufe. Von den vielen möglichen Auswirkungen haben Alan Dundes, Reinhard Breymayer und andere einige gezeigt[298]; ich nenne hier nur die Forderung nach struktureller Untersuchung von Werken der Hochliteratur, von Volkssagen und -Schwänken, Sprichwörtern, Rätseln, Spielen, Filmen, Comics nach dem Proppschen Modell. Amerikanische, französische, osteuropäische, israelische Forscher haben solche Aufgaben in Angriff genommen und sich dabei zum Teil auch kritisch mit Propps Thesen auseinandergesetzt[299].

Noch ein Wort zum Terminus Morphologie. Er deutet an, daß es im Werk Propps nicht nur um syntagmatische Strukturanalysen, sondern, mit dem Aufweis von Transformationen (Metamorphosen), auch um paradigmatische Nachweise geht, getreu dem von Propp zitierten Goethe-Wort: «Gestaltenlehre ist Verwandlungslehre.» So darf man sagen, daß Propps Morfologija skazki ein Werk von weitreichender Bedeutung ist. Da es das Märchen von einer ganz anderen Seite und in anderer Weise angeht als dies in dem vorliegenden Buch geschieht, war es wichtig, ihm eine einläßlichere Betrachtung zu widmen. Propps Strukturanalyse und meine Stilanalyse ergänzen einander.

ANMERKUNGEN

1 Novalis' Schriften, herausgegeben von J. Minor (Jena 1923), Bd III, S. 4 (Nr. 6), S. 327 (Nr. 919).

2 WALTER BERENDSOHN, *Grundformen volkstümlicher Erzählerkunst in den Kinder- und Hausmärchen der Brüder Grimm* (Hamburg 1921, ²1968), S. 35; siehe dazu Anm. 164, 170.

3 C. W. VON SYDOW, Kategorien der Prosa-Volksdichtung, Festschrift für John Meier *(«Volkskundliche Gaben»)*, (Berlin und Leipzig 1934), S. 257ff.; vgl. Anm. 145.

4 LUTZ MACKENSEN, Das Deutsche Volksmärchen. In Peßlers *Handbuch der deutschen Volkskunde* (Potsdam o. J.), Bd. II, S. 317; vgl. W. E. PEUCKERT, *Deutsches Volkstum in Märchen und Sage, Schwank und Rätsel*, Berlin 1938, S. 11.

5 Mackensen, a. a. O., S. 306.

6 A. LÖWIS OF MENAR, *Russische Volksmärchen* (Märchen der Weltliteratur = M. d. W., Jena 1927), S. X.

7 GÜNTER OTTO, *Bäuerliche Ethik in der schlesischen Volkssage* (Breslau 1937), S. 5.

8 ROBERT PETSCH, Die Kunstform des Märchens. *Zeitschrift f. Volkskunde*, N. F. 7 (1935), S. 4. Vgl. auch meine in der *Gabe im Märchen und in der Sage* (Bern 1943) vorgetragene Auffassung. Alle drei Arbeiten halten jene Sagen, in denen statt von Numinosem nur von Grausigem, Außerordentlichem oder Seltsamem die Rede ist, für eine Verflüchtigungsform. Siehe dazu auch Rudolf Otto, der das Fürchterliche und das Erhabene als ein analogisches Ausdrucksmittel für das «Tremendum» auffaßt. (R. OTTO, *Das Heilige*, 2. Auflage, Breslau 1918, 10. Kapitel.) Dagegen FRIEDRICH RANKE, Volkssagenforschung, *Deutsche Vierteljahrsschrift für Literaturwissenschaft und Geistesgeschichte*, Bd. 19, und W. E. PEUCKERT, a. a. O., S. 105; vgl. S. SINGER, der «Wundersagen» und «natürliche Sagen» als gleichberechtigte Gruppen nebeneinanderstellt (*Schweizermärchen*, Bern 1903, Neudruck München 1971, S. 10).

9 ANDRÉ JOLLES, *Einfache Formen* (Halle a. S. 1929, 2. Auflage 1956).

10 A. WESSELSKI, *Versuch einer Theorie des Märchens*, Prager deutsche Studien, Heft 45 (Reichenberg i. B. 1931, Neudruck Hildesheim 1974) S. 100; R. PETSCH, *Deutsche Vierteljahrsschrift f. Literaturwissenschaft und Geistesgeschichte*, Bd. 10, S. 366; FRIEDRICH RANKE, ebenda, Bd. 14, S. 262 (Märchenforschung); Friedrich Ranke, *Zeitschrift f. Volkskunde*, N. F. 4 (1933), S. 208 (Aufgaben volkskundlicher Märchenforschung); Lutz Mackensen, a. a. O., S. 315, 319.

11 PAUL ZAUNERT, *Deutsche Märchen seit Grimm* (M. d. W. 1919) I, S. 137.

12 GIAN BUNDI, *Märchen aus dem Bündnerland* (Basel 1935), S. 2.

13 BOLTE-POLÍVKA, *Anmerkungen zu den Kinder- und Hausmärchen der Brüder Grimm*, 5 Bde., (Leipzig 1913–32, Neudr. Hildesheim 1963) Bd. II, S. 536.

14 ZAUNERT, *Rheinlandsagen*, Bd. I, S. 273; JUNGBAUER, *Böhmerwaldsagen*, S. 192; ZAUNERT, *Deutsche Natursagen*, Bd. I, S. 115; vgl. *Handwörterbuch des deutschen Aberglaubens* (hsg. von H. BÄCHTOLD-STÄUBLI, Berlin 1927 ff.) VI, S. 419, VIII, S. 669, IX N., S. 594.

15 Vgl. dazu PEUCKERT, *Volkstum*, S. 14.
16 Bundi, a. a. O., S. 1; Zaunert, *Deutsche Märchen seit Grimm* I, S. 4; vgl. *Irische Volksmärchen* (herausg. von K. MÜLLER-LISOWSKI, M. d. W. 1923) Nr. 20.
17 Zaunert, *Deutsche Märchen seit Grimm* I, S. 5 = LÜTHI, *Europäische Volksmärchen* (Zürich 1951), S. 306f. (vgl. Anm. 58).
18 W. E. PEUCKERT zieht daraus den Schluß, daß unser Zaubermärchen also nicht in der totemistischen Welt seinen Ursprung haben könne; dieser entspringe vielmehr das «Mythenmärchen», in dem das Zaubern «Alltagstun wie Essen und Trinken und Schlafen ... ist». Peuckert, Volkstum, S. 14f.
19 Vgl. LÜTHI, *Die Gabe im Märchen und in der Sage* (Bern 1943, künftig einfach als «Gabe» zitiert), 2. und 3. Abschnitt, vor allem S. 28,46–50.
20 BOEHM und SPECHT, *Lettisch-litauische Märchen* (M. d. W.) Nr. 1; ähnlich *Ungarische Volksmärchen*, N. F., herausgegeben von E. RÓNA-SKLAREK, Leipzig 1909, S. 196f.; vgl. unten S. 43.
21 Z. B. GRIMM, *Kinder- und Hausmärchen (KHM)* Nr. 31. Hübsch ist es, wie in einem im 16. Jahrhundert aufgezeichneten deutschen Märchen das Erdkühlein die Heldin anweist, in einer bestimmten kommenden Schicksalswendung Tränen zu vergießen (s. KARL GOEDEKE, *Schwänke des 16. Jahrhunderts*, Leipzig 1879 S. 12; leicht modernisiert bei NINON HESSE, *Deutsche Märchen vor und nach Grimm*, Zürich 1956, S. 20). Kommentare zu dieser «ältesten Darstellung des Aschenbrödelmärchens» findet man bei ALBERT WESSELSKI, *Deutsche Märchen vor Grimm* (Brünn/Leipzig 1938) S. 304–309 und bei Ninon Hesse, Das Erdkühlein, *Neue Zürcher Zeitung* vom 3. April 1960 (Nr. 1118). Ursprünglich stand das Märchen unter dem Titel «Ein schön History von einer Frawen mit zweyen Kindlin» bei MARTIN MONTANUS, »*Ander theyl der Gartengesellschaft*» (Straßburg um 1560); vgl. Anm. 233.
22 Grimm Nr. 25.
23 Zaunert, *Deutsche Märchen seit Grimm* II, S. 169.
24 AXEL OLRIK, Epische Gesetze der Volksdichtung, *Zeitschrift für deutsches Altertum* 51 (1909), Punkt 8.
25 ZAUNERT, *Deutsche Märchen aus dem Donaulande* (M. d. W. 1926), S. 83.
26 OTTO SUTERMEISTER, *Kinder- und Hausmärchen aus der Schweiz* (2. Auflage, Aarau 1873) Nr. 6; vgl. Gabe, S. 128f.
27 CHARLOTTE BÜHLER, *Das Märchen und die Phantasie des Kindes* (4. Auflage, München 1958), S. 54. Vgl. S. 53 (Affekt).
28 AUGUST LESKIEN, *Balkanmärchen* (M. d. W. 1919), S. 194 (serbokroatisch).
29 Löwis of Menar, *Russische Volksmärchen* (M. d. W.) Nr. 2.
30 Ein Beispiel unten S. 26. Wenn in einem ungarischen Märchen von dem Teufelskönig berichtet wird, er «wurde so wütend, daß er auf der Stelle platzte», so zeigt das aufs neue die Neigung des Märchens, das innere Gefühl in die Ebene des optisch Faßbaren treten zu lassen, Unsichtbares in ein Bild zu übersetzen und zugleich in die Folge der Vorgänge einzugliedern (*Ungar. Volksmärchen*, N. F., S. 167).
31 WILHELM WISSER, *Plattdeutsche Volksmärchen* (M. d. W. Jena 1919), S. 243.
32 Vgl. *Gabe*, S. 109, 119–126.

33 HEINZ RÖLLEKE, *Die älteste Märchensammlung der Brüder Grimm* (Cologny-Genève 1975) S. 108.
34 Vgl. *Gabe*, S. 103, 129ff.
35 Vgl. *Gabe*, S. 49.
36 *Balkanmärchen*, S. 179f. (serbokroatisch).
37 KHM Nrn. 15, 69, 193.
38 GERHART HAUPTMANN, *Ausblicke* (Berlin 1924), S. 22.
39 Z. B. KLARA STRÖBE, *Nordische Volksmärchen* (M. d. W., Jena 1919) II, Nr. 24 (norwegisch).
40 *Russische Volksmärchen* (M. d. W.) Nr. 43.
41 *Balkanmärchen* Nr. 17 (bulgarisch).
42 COSQUIN, *Contes populaires de Lorraine* (Paris o. J.) I, n° 1.
43 KRAUSS, *Sagen und Märchen der Südslaven* (Leipzig 1884) II, Nr. 131.
44 Bolte-Polívka I, S. 208.
45 Siehe *Gabe*, S. 55f.
46 P. KRETSCHMER, *Neugriechische Märchen* (M. d. W., Jena 1919) Nr. 31 (kretisch).
47 *Balkanmärchen* Nr. 29 (serbokroatisch).
48 *Russische Volksmärchen* (M. d. W.) Nr. 4.
49 Z. B. *Balkanmärchen* Nr. 7 (bulgarisch).
50 LÖWIS OF MENAR, *Finnische und estnische Volksmärchen* (M. d. W., Jena 1922) Nr. 26 (finnisch).
51 *Finnische und estnische Volksmärchen* Nr. 30 (finnisch).
52 *Balkanmärchen* Nrn. 2, 6, 12, 18 («Alles war dort schwarz, die Menschen, die Tiere, auch der Zar selbst.»).
53 *Nordische Volksmärchen* (M. d. W.), Bd. II, Nr. 7 (norwegisch). Ein russisches Märchen beginnt: «Es war einmal ein Zar, ein mächtiger Herr, der lebte in einer Gegend, die war so flach wie ein Tischtuch» (Russische Märchen Nr. 43).
54 Vgl. *Gabe* S. 95.
55 Falls er nicht stumpfes Motiv bleibt; siehe dazu unten S. 56ff. In dem Bündner Märchen Hans Tgavrêr bei LEZA UFFER (*Rätoromanische Märchen und ihre Erzähler*, Basel 1945, Nr. 21 = *Europ. Volksmärchen* S. 279) will die Prinzessin dem Helden 100 Soldaten mit auf die Wanderung geben. «‹Ach was, ich gehe allein›, sagte Hans. ‹Nein, so lasse ich dich nicht ziehen›, antwortete sie. So beschloß er letzten Endes, 40 Mann mit sich zu nehmen» – aber auch die schickt er bald wieder heim, und nun erst kann die Abenteuerhandlung einsetzen.
56 *Balkanmärchen* Nr. 17 (bulgarisch).
57 Siehe *Gabe*, S. 135 (Froschkönig!).
58 ZAUNERT, *Deutsche Märchen seit Grimm* I, S. 1 = *Europäische Volksmärchen* S. 301. Die Erzählung steht ursprünglich bei U. JAHN, *Volksmärchen aus Pommern und Rügen*, Bd. I, Leipzig 1891.
59 Siehe *Gabe*, S. 61f.
60 Siehe *Gabe*, S. 30f.
61 Z. B. *Balkanmärchen* Nr. 23 (serbokroatisch), siehe unten S. 40.
62 Nicht nur bei Grimm, sondern auch im jugoslawischen Märchen: *Balkanmärchen* Nr. 34 (serbokroatisch).
63 *Märchen aus dem Donaulande* (M. d. W.), S. 62ff.
64 Z. B. Cosquin I, S. 32, 34.

65 *Russische Volksmärchen* Nr. 4.
66 *Deutsche Märchen seit Grimm* II, S. 285.
67 *Balkanmärchen* Nr. 56.
68 Ich wähle den Terminus in Anlehnung an WILHELM WORRINGER (*Abstraktion und Einfühlung*, Diss. Bern 1907, in Buchform München 1908 u. ö., zuletzt 1959). Grundsätzliches dazu siehe *Gabe*, S. 28 A.
69 Siehe dazu Mackensen, a. a. O., S. 309. Daß die ursprüngliche Magie und die Kraft der heiligen Zahlen auch im Märchen noch leise nachklingt, betont KARL JUSTUS OBENAUER in *Das Märchen. Dichtung und Deutung* (Frankfurt 1959) S. 93-127 (Zahlen als Symbole und Formkräfte).
70 Schön zu beobachten in dem lothringischen Märchen «Le Roi d'Angleterre et son filleul», Cosquin I, S. 32ff. = *Europ. Volksmärchen* S. 150.
71 GIUSEPPE PITRÈ, *Novelle popolari Toscane* (Roma 1941) I S. 3.
72 Vgl. oben S. 11, 14–18, 23 f. Gelegentliche Ansätze zur Mehrsträngigkeit, etwa der gleichzeitige Auszug zweier oder dreier Brüder, verschwinden vor der beherrschenden Vorliebe des Märchens für die Einsträngigkeit. Mit gewichtigen Hinweisen kostet ein moderner lothringischer Erzähler das ungewohnte Raffinement der Zweisträngigkeit aus: «Jetzt losse mr die Buwe in dem Garde un gehn wider z'rick, kumme wider zu der Rosamunda un luhn, wie's do zugeht.» Oder: «Jetzt losse mr dene Pilger wider z'rick un gehn dene Buwe no.» (ANGELIKA MERKELBACH-PINCK, *Lothringer erzählen*, Bd. I, S. 226, 230). Ähnlich Plasch Spinas, ein anderer zeitgenössischer Märchenerzähler, bei Leza Uffer, *Rätoromanische Märchen* Nr. 21 (= *Europäische Volksmärchen* S. 279): «Nun lassen wir ihn Stöcke herrichten und kehren zur Prinzessin zurück, denn er brauchte ungefähr drei Wochen, um für alle Ziegen Stöcke zu schneiden.» – «Lassen wir jetzt die Prinzessin klagen und ihn überall suchen und gehen wir zu dem Zuckermann und seiner Frau.» (*Neugr. Märchen*, M. d. W., Nr. 53). Vgl. BOLTE-POLÍVKA IV, S. 22–24 sowie Enzyklopädie des Märchens, Artikel Einsträngigkeit.
73 *Balkanmärchen* Nr. 2 (bulgarisch). In der Rahmenerzählung von Tausendundeiner Nacht ist es König Schahriar, der während dreier Jahre jede Nacht ein schönes Mädchen zum Weibe nimmt, ihnen allen aber in der Morgendämmerung den Kopf abschlagen läßt; rationaler und realistischer zugleich als das unbegründet und unerklärt gelassene Gattensterben in dem bulgarischen Volksmärchen.
74 KHM Nr. 67.
75 Z. B. *Balkanmärchen* Nrn. 42, 43 (serbokroatisch), *Russische Volksmärchen* Nr. 41.
76 *Lettisch-litauische Märchen* Nr. 1 (lettisch).
77 *Balkanmärchen* Nr. 36 (serbokroatisch). *Lettisch-litauische Märchen* Nr. 1.
78 *Finnische und estnische Volksmärchen* Nr. 31 (finnisch).
79 *Balkanmärchen* Nr. 35 (serbokroatisch).
80 Ebenda, Nr. 33 (serbokroatisch).
81 Ebenda, Nr. 17 (bulgarisch).
82 *Irische Volksmärchen* Nr. 21.
83 Zaunert, *Donaumärchen*, S. 315 (vgl. Gabe, S. 63).
84 *Balkanmärchen* Nr. 26 (serbokroatisch); vgl. *Deutsche Märchen seit Grimm* I, S. 133 (oben S. 9).

85 *Lettisch-litauische Märchen* Nr. 26 (lettisch).
86 *Nordische Volksmärchen* II, Nr. 4 (norwegisch).
87 *Irische Volksmärchen* Nr. 20.
88 *Lettisch-litauische Märchen* Nr. 26.
89 KHM Nr. 165; Sutermeister Nr. 19; von mir in der *Gabe* S. 8–17 nach anderen Gesichtspunkten untersucht.
90 Wisser, *Plattdeutsche Volksmärchen* (M. d. W.), S. 230.
91 *Balkanmärchen* Nr. 23 (serbokroatisch). Vgl. oben S. 31.
92 *Lettisch-litauische Volksmärchen* Nr. 7 (lettisch).
93 *Balkanmärchen* Nr. 10; vgl. Cosquin I, Nr. 3, wo nach Empfang der Gabe stereotyp die Frage erfolgt: «Qu'en ferai-je?»
94 *Balkanmärchen* Nr. 7 (bulgarisch).
95 *Russische Volksmärchen* Nr. 4.
96 A. v. Löwis of Menar, *Die Brünhildsage in Rußland* (Palaestra 142, Leipzig 1922), S. 38, 39, 43.
97 *KHM* Nr. 165.
98 *KHM* Nr. 113.
99 Zaunert, *Deutsche Märchen seit Grimm* II, S. 282.
100 Z. B. *Finnische und estnische Volksmärchen* Nr. 15 (finnisch).
101 *Nordische Volksmärchen* II, Nr. 37; hübsches Beispiel für die Umstilisierung der «Sagen-Motive» Wechselbalg und Teufel-Brückenbauer im Märchen.
102 KHM Nr. 127.
103 *Neugriechische Märchen* (M. d. W.) Nr. 1.
104 *Balkanmärchen* Nr. 9 (bulgarisch).
105 A. Genzel in seiner sonst wertvollen Maschinenschriftdissertation: «Die Helfer und Schädiger des Helden im deutschen Volksmärchen», Leipzig 1922, S. 155.
106 Kurt Ranke, *Schleswig-Holsteinische Volksmärchen* Bd. II (ATh 403–665), Kiel 1958, S. 212ff.
107 J. K. A. Musäus, *Volksmärchen der Deutschen*, 3. Teil, Die Bücher der Chronika der drei Schwestern, 2. Buch.
108 Nach freundlicher Mitteilung von Dr. Georges Fausch, dessen in den Apuanischen Alpen gesammelte Märchen inzwischen erschienen sind: *Testi dialettali e tradizioni popolari della Garfagnana*, Diss. Zurigo 1962 (s. bes. p. 75–89: Raíno).
109 Leza Uffer, *Rätoromanische Märchen* (vgl. A. 55) Nr. 8 (S. 164–187); vgl. Uffer, *Die Märchen des Barba Plasch* (Zürich 1955) S. 112–129. Ich habe Prof. Dr. Uffer auch für freundlich erteilte Auskünfte zu danken. Ebenso Dr. V. Novak und Dr. M. Matičetov, beide in Liubljana, die mich liebenswürdigerweise darauf aufmerksam machten, daß der serbische Märchensammler Wuk Stephanowitsch Karadschitsch, dessen Erzählung von Stojscha und Mladen (Volksmärchen der Serben, Berlin 1854 Nr. 5 = Balkanmärchen Nr. 24) in der ersten Auflage dieses Buches als Beispiel für die wörtliche Wiederholung gedient hatte, seine Aufzeichnungen für den Druck stilisierte und so die Wörtlichkeit der Wiederholung bewußt herstellte. Deshalb habe ich in der vorliegenden zweiten Auflage auf das serbische Beispiel verzichtet; es fiel nicht schwer, es durch zwei andere vom selben Märchentypus (ATh 552, d. h. Nr. 552 des Typenverzeichnisses von Aarne und Thompson, vgl.

unten S. 110) zu ersetzen, und zwar wurde diesmal auf unverfälschte Publikationen des 20. Jahrhunderts gegriffen (K. Ranke u. L. Uffer, vgl. Anm. 106 u. 249).

109 a *Balkanmärchen* Nr. 24.

110 Daß sie ihn nicht direkt erkennt, sondern durch Vermittlung des Tuches, ist charakteristisch für die isolierende Darstellungsweise des Märchens. Es stellt zwischen die Figuren ein von ihnen ablösbares Ding, meist eine Gabe; dieses trägt den Kontakt zwischen ihnen. Ein unmittelbares Wiedererkennen der Persönlichkeit des andern gibt der Märchengestalt schon ein Zuviel an seelischer Plastik. Wenn sich die Märchenfiguren voneinander trennen, dann «vergessen» sie einander, ohne daß, wie in mythischer Dichtung, ein Vergessenheitstrunk nötig wäre. «Les princesses, une fois de retour chez leur père, ne pensèrent plus à lui» (Cosquin I, Nr. 1); deshalb die Vorliebe des Märchens für Erkennungszeichen, die zwischen den Figuren ausgewechselt werden und ohne deren Vermittlung ein Wiedererkennen oft nicht möglich wäre (vgl. oben S. 18f.).

111 Italienisch (referiert bei Cosquin II, S. 221).

112 KHM Nr. 65.

113 *Lettisch-litauische Volksmärchen* Nr. 7 (lettisch).

114 *Balkanmärchen* Nr. 30 (serbokroatisch).

115 *Balkanmärchen* Nr. 23 (serbokroatisch; vgl. oben S. 31, 40).

116 Vgl. M. LÜTHI, *Die Herkunft des Grimmschen Rapunzelmärchens*, in Fabula 3 (Berlin 1959) S. 95–118; s. a. Anm. 237.

117 Genzel, a. a. O.; vgl. oben S. 30, 32, ferner *Gabe*, S. 128f.

118 Zaunert, *Deutsche Märchen seit Grimm* II, S. 254, 277; Bolte-Polivka I, S. 472ff; vgl. *Gabe*, S. 19, 50f.

119 Vgl. *Gabe*, S. 41, 103.

120 Zaunert, *Deutsche Märchen aus dem Donaulande*, S. 269, 288.

121 Z. B. *Nordische Volksmärchen* II, Nr. 7 (norwegisch).

122 *Balkanmärchen* Nr. 5 (bulgarisch).

123 Bolte-Polívka II, S. 231.

124 Zaunert, *Deutsche Märchen seit Grimm* II, S. 254.

125 Vgl. *Gabe*, S. 32f.

126 *KHM* Nrn. 54, 91, 111; Bolte-Polívka I, S. 470, 474; II, S. 31; Zaunert, *Deutsche Märchen seit Grimm* II, S. 58, 260; Bundi, S. 115, 125; Kretschmer, *Neugriechische Märchen* Nr. 6.

127 *KHM* Nr. 126.

128 Bundi, S. 55.

129 *Nordische Volksmärchen* I, Nr. 4; vgl. *KHM* Nr. 135.

130 *Donaulandmärchen*, S. 136.

131 Siehe dazu ANTTI AARNE, *Leitfaden der vergleichenden Märchen-Forschung* (FFC 13, Hamina 1913), S. 23–38.

132 *Irische Volksmärchen* (M. d. W.) Nr. 20.

133 *KHM* Nr. 88; Bolte-Polívka II, S. 232; Wisser, S. 266; Sutermeister Nr. 37; Zaunert, *Deutsche Märchen seit Grimm* I, S. 113; Bundi, S. 40; Cosquin II, Nr. 63; vgl. *Gabe*, S. 26.

134 *KHM* Nr. 130.

135 Sutermeister Nr. 37.

136 *Balkanmärchen* Nr. 42.

137 Siehe den Artikel Feige im *Hdwb. d. dt. Aberglaubens* (Bächtold-Stäubli), Bd. II, S. 1305ff. Vgl. unten S. 65 ff.

138 Zaunert, *Donaulandmärchen*, S. 57, 118.

139 RILKE, *Sonette an Orpheus*, 1. Teil, XII. Vgl. dazu die Darstellung HERMANN PONGS', der «Ganz-einsam-sein und Ganz-im-bezug-sein» als Ziel von Rilkes Selbstverwirklichung bezeichnet. (*Das Bild in der Dichtung*, Bd. II, Marburg 1939, [2]1974, S. 322.)

140 ALBERT WESSELSKI, dem wir die glückliche Prägung «Gemeinschaftsmotiv» verdanken, sieht in solchen schlichten «Geschichten» die ursprüngliche «einfache Form», die allem anderen, Märchen, Mythos und Sage, vorangeht (*Versuch einer Theorie des Märchens*, Reichenberg 1931, Neudruck Hildesheim 1974, S. 10ff.). Die Frage der Vorformen des Märchens bedarf indessen noch genauer und gründlicher Untersuchung. Siehe dazu R. PETSCH, Die Kunstform des Märchens, *Zeitschrift f. dtsch. Volkskunde* 1935, S. 1ff.

141 Z. B. *Balkanmärchen* Nr. 6, Nr. 10 (bulgarisch).

142 Wisser, S. 127.

143 *KHM* Nr. 89; dazu F. V. D. LEYEN, *Das Märchen. Ein Versuch* (4. Auflage, Heidelberg 1958, unter Mitarbeit von KURT SCHIER) S. 172f., wo freilich das Rapunzel-Beispiel zu streichen ist, da es sich um eine Prägung Jacob Grimms handelt. Vgl. Anm. 116.

144 Pitrè, op. cit. I, S. 192.

145 Diese Entmachtung des Zaubers im Märchen legt uns nahe, statt von «Zaubermärchen» mit C. W. von Sydow von «Schimäremärchen» zu sprechen (vgl. oben S. 5); nur wird dieser Terminus der inneren Notwendigkeit des Märchengeschehens nicht ganz gerecht.

146 Siehe dazu KARL MEULI, *Odyssee und Argonautika*, Diss., Basel 1921, S. 87ff., 104 = *Ges. Schriften* II, Basel/Stuttgart 1975, S. 653ff., 666.

147 Zaunert, *Märchen seit Grimm* I, S. 11; vgl. *KHM* Nr. 97; dazu oben S. 31f.

148 Siehe dazu ERNST HOWALD, *Der Mythos als Dichtung*, Zürich o. J., S. 84ff.

149 *Neugriechische Märchen* S. 76.

150 HANS NAUMANN, *Primitive Gemeinschaftskultur*, Jena 1921, S. 41–50.

151 Recht deutlich erkennbar z. B. bei Cosquin Nr. 3.

152 WILL-ERICH PEUCKERT, *Deutsches Volkstum in Märchen, Sage, Schwank und Rätsel*, Berlin 1938, S. 20ff. Vgl. Cosquin I, S. 40.

153 Zum erotischen Sinn von Nacktheit wie von Prachtkleid vgl. OTTO RANK, *Psychoanalytische Beiträge zur Mythenforschung*, Wien 1919, Aufsatz X: Die Nacktheit in Sage und Dichtung.

154 Vorgänge, die in der Wirklichkeit erregtem Erleben entspringen, werden so im Märchen zu kühlen Bewußtseinsakten, die in ihrer abstrahierenden Vereinzelung und klaren Zeichnung ornamental wirken. (Der stilisierenden *Pluralisierung* – vgl. oben S. 33, 64 – entspricht eine stilisierende *Vereinzelung:* die Zusammenziehung unübersichtlich vielfältiger Vorgänge oder Personen in scharf sichtbare einzelne Akte oder Figuren.)

155 Wisser, S. 158.

156 *Nordische Volksmärchen* I, Nr. 1.

157 *Balkanmärchen* Nr. 5 (bulgarisch).

158 *Neugriechische Märchen* Nr. 26.

159 Z. B. A. Merkelbach-Pinck, S. 232f.; vgl. dazu Peuckert, S. 28 sowie oben S. 15f.

160 *Neugriechische Märchen* Nr. 26.

161 AXEL OLRIK, Epische Gesetze der Volksdichtung, *Z. f. d. A.* 51. Vgl. oben S. 51.

162 Vgl. dazu C. G. JUNG/K. KERENYI, *Einführung in das Wesen der Mythologie* (Zürich 1944), Gottkindmythos.

163 WESSELSKI unterscheidet Gemeinschaftsmotive, sie werden von Hörern und Erzählern uneingeschränkt als wirklichkeitsmöglich anerkannt (vgl. oben Anm. 140); Wahnmotive: sie werden nur noch halb, und Wundermotive: sie werden überhaupt nicht mehr als wahr genommen. Je nachdem, ob eine Erzählung ausschließlich Gemeinschaftsmotive oder auch noch Wahn- oder Wundermotive verwendet, ist sie für Wesselski «Geschichte», Sage oder Märchen. Der Fehler springt in die Augen. Nach dieser Theorie könnte ein und dieselbe Erzählung für das eine Volk ein Märchen, für das andere eine Sage oder gar eine «Geschichte» sein. (Vgl. dazu FRIEDRICH RANKE, *Deutsche Vierteljahresschrift f. L. u. G.*, Bd. 14, S. 265.) Ja sogar innerhalb ein und desselben Volkes wäre eine Erzählung für eine bestimmte Schicht (oder zu einer bestimmten Zeit) Sage, für eine andere, aufgeklärtere aber Märchen. Weil für Primitive und Kinder, aber auch für das mittelalterliche Europa und für große Teile des heutigen Orients viele uns unmöglich scheinende Dinge, z.B. der Gestaltenwechsel (Menschen verwandeln sich in Esel), durchaus wirklichkeitsmöglich sind, könne man für diese Völker, Schichten oder Zeiten nicht von Märchen sprechen, sondern eigentlich nur von Geschichten oder höchstens von Sagen. «Indien, das Märchenland, kennt das Märchen nicht.»

Wesselskis Kriterium ist ein rein äußerliches. Er unterscheidet die Gattungen Geschichte, Sage, Märchen danach, ob ihr Inhalt geglaubt wird oder nicht. Ohne daß die Erzählung selber sich ändert, wird sie je nach der Einstellung der Erzähler und Hörer in verschiedene Kategorien eingeordnet. Nun kann allerdings ein numinoser Stoff (der wertende Ausdruck «Wahnmotiv» sollte vermieden werden) von sich aus nach einer ganz anderen Gestaltung rufen als ein profaner. Die numinose Erregung wird in anderer Weise Sprache werden als ein Gemeinschaftserlebnis von weniger hoher Spannung. Dann aber wird man den Unterschied direkt von der Form der Erzählung ablesen können und braucht die Frage nach Glauben oder Unglauben ihrer Träger gar nicht erst zu stellen. Außer den beiden Möglichkeiten des numinosen und des profanen Stoffes noch eine dritte anzunehmen, neben dem «Gemeinschafts»- und dem «Wahnmotiv» ein «Wundermotiv» zu postulieren, ist vollends verfehlt. Ob etwas als Wahn oder als Wunder bezeichnet wird, hängt von der Einstellung des Beurteilers ab. Im Märchen stehen nicht, wie Wesselski es möchte, geglaubte Gemeinschaftsmotive neben ungeglaubten Wundermotiven. Die profanen Bezüge sind vielmehr genau so unwirklich dargestellt wie die numinosen: weil nicht das Motiv formbildend wirkt, sondern die Dichtungsform die Motive gestaltet.

164 WALTER BERENDSOHN (*Grundformen volkstümlicher Erzählerkunst in den Kinder- und Hausmärchen der Brüder Grimm*, Hamburg 1921) führt unfreiwillig die Folkerssche Bestimmung der Sage als «explikativ» (J. FOLKERS, *Zur Stilkritik der deutschen Volkssage*, Diss., Kiel 1910) ad absurdum, indem er unbedenklich jeden Teil eines Märchens, der die Herkunft irgendeines Dings oder einer Eigenschaft erklären soll, als

«Ursachensage» und damit als nicht märchenhaft bezeichnet (S. 41f., 45, 50–54, 57, 59, 67 usw.). Er verkennt, daß ein Sagenmotiv, das vom Märchen aufgenommen und umgegossen worden ist, damit den Charakter eines Sagenmotivs verliert und integrierender Teil des Märchens wird, genau gleich wie irgendein anderes Motiv. Er ist völlig im Irrtum, wenn er behauptet, eine «Erklärung» wunderhafter Fähigkeiten des Helden sei nicht märchengemäß. Das Märchen hat vielmehr gerade die Tendenz, solche Fähigkeiten auf Gaben zurückzuführen (vgl. oben S. 53f., 68, ferner *Gabe*, S. 91ff.). Doch kann es andere Male eine ebensolche Fähigkeit oder Kenntnis unerklärt lassen: Beides ist in gleicher Weise märchenhaft. Ja es gehört zum Wesen des Märchens, daß es beide Möglichkeiten kennt. Berendsohns Arbeit krankt an dem Grundfehler, daß er das Wesen des Märchens vom Inhalt aus erfassen will. («Das Märchen ist eine Liebesgeschichte mit Hindernissen, die ihren Abschluß in der endgültigen Vereinigung des Paares findet.» «Der eigentliche Gehalt des Märchens liegt in seinen Jenseitsmotiven.» «Eine Erzählung, in der die Hauptfigur nicht in das zaubererfüllte Seelenreich eindringt oder nicht entscheidende Hilfe empfängt aus der Jenseitswelt, ist kein echtes Märchen, auch wenn sie einige seiner Stilformen trägt.» S. 35.)

165 Z. B. Sutermeister, Nr. 19.

166 Z. B. Cosquin I, S. 36; *KHM* Nr. 65.

167 Z. B. *Nordische Volksmärchen* I, Nr. 2 (dänisch).

168 Vgl. dazu JOLLES, *Einfache Formen* (wie Anm. 9), Abschnitt «Märchen».

169 Vgl. auch HOWALD, *Der Mythos als Dichtung*, S. 106: «Die erste erstaunliche Tatsache ist die, daß alle von uns untersuchten Sagen, je weiter wir in ihnen zurückdringen, um so mehr aus dieser Welt hinausweisen und alle Zeichen an sich tragen, daß sie sich einmal in einer jenseitigen Welt abgespielt haben. Es sieht so aus, als ob diese diesseitige Welt keine Stätte für die Abenteuer wäre, sondern daß einmal, wer etwas Besonderes leisten wollte, sie verlassen mußte und den Zugang zu einer andern zu suchen hatte.»

170 Z. B. das Grimmsche «Allerleirauh». Vgl. a. oben S. 32, 70. Dagegen scheint im «Rotkäppchen» der Eintritt in den Bauch des Wolfes noch auf die Unterwelt zurückzudeuten. Die Auffassung Walter Berendsohns: kein Märchen ohne Jenseitsmotiv (Berendsohn, S. 35; vgl. Anm. 164), ist fragwürdig. Das einzelne Märchen ist an kein bestimmtes Motiv gebunden. Nur ist es natürlicherweise seltene Ausnahme, daß in einem Märchen neben profanen Motiven nicht auch Jenseitsmotive in irgendwelcher Gestalt vorkommen; schon der Terminus Zaubermärchen läßt dies vermuten. Novellenmärchen kommen oft ohne das Jenseitsmotiv aus, z. B. die Erzählungen von der rätsellösenden Prinzessin (ATh 851); wenn man sie trotzdem Märchen nennt, so liegt dies doch wohl daran, daß der Gesamtstil einer Erzählung, nicht der Gehalt ihrer Motive, als das Entscheidende empfunden wird.

171 Zu diesen Kategorien vgl. TH. SPOERRI, *Die Formwerdung des Menschen*, Berlin 1938, S. 222f.

172 FRIEDRICH PANZER, Märchen, in «*Deutsche Volkskunde*», herausgegeben von John Meier (Berlin 1926), 1. Abschnitt; vgl. 40. Abschnitt.

173 Vgl. dazu FRIEDRICH RANKE, Sage und Märchen (1910) = *Kleinere Schriften* (ed. Rupp u. Studer), Bern u. München 1971, S. 189–203.

174 So noch JOHANNES BOLTE in «Name und Merkmale des Märchens» (Bolte-Polívka, Bd. IV, Leipzig 1930, S. 36) und RICHARD HÜNNERKOPF in «Volkssage und Märchen» (*Obd. Zeitschrift f. Volkskunde* 1929, S. 2). Vgl. dazu auch Obenauer, a. a. O. S. 292ff.

175 FRIEDRICH PANZER, a. a. O., Abschnitt 37.

176 Vgl. dazu G. OTTO, *Bäuerliche Ethik*, S. 4 f., 9, 11, 25; ferner A. Jolles, *Einfache Formen* (wie Anm. 9).

177 Siehe dazu Günter Otto, Bäuerliche Ethik; OTTO BRINKMANN, *Das Erzählen in einer Dorfgemeinschaft* (Münster i. W. 1933); GOTTFRIED HENSSEN, *Volk erzählt* (Münster i. W. 1935).

178 Vgl. Angelika Merkelbach-Pinck, *Lothringer erzählen*, Bd. I (Saarbrücken o. J.), S. 37f.; A. Löwis of Menar, *Russische Märchen*, S. VII.

179 Siehe dazu *Gabe*, S. 114f., 142; vgl. FRIEDRICH RANKE, Sage und Märchen (in *Kl. Schriften*); derselbe, Grundfragen der Volkssagenforschung, *Niederdeutsche Zeitschrift für Volkskunde* 3 (1925), S. 20 = *Kl. Schriften* S. 306. Zu den Problemen der Sagenbildung und der Funktion der Sage äußert sich HEINRICH BURKHARDT in seiner Dissertation *Zur Psychologie der Erlebnissage*, Zürich 1951. S. a. Anm. 259.

180 Die Legende gestaltet, wie die Sage, das Einzelereignis. Verschiedene Legenden können sich zum Legendenkranz fügen, der sich um ein und denselben Heiligen windet. In sich aber sind die Legenden nicht, wie das Märchen, grundsätzlich mehrepisodig.

181 Für Jacob Grimm sind «Sichvonselbstmachen» und «Zubereitung» Wesensmerkmale der Naturpoesie, bzw. der Kunstpoesie (Briefwechsel mit A. von Arnim, herausgegeben von Reinhold Steig, S. 118; vgl. Jolles, wie Anm. 9, 1. Aufl. S. 221ff., 2. Aufl. S. 183ff.).

182 Z. B. Wisser, S. 244f.; *KHM* Nr. 54; Bolte I, S. 474f.

183 WERNER SPANNER, *Das Märchen als Gattung*, Diss., Gießen 1939, S. 32.

184 Mackensen, a. a. O., S. 316, Berendsohn, a. a. O., S. 36.

185 Spanner, a. a. O., S. 10 = F. KARLINGER (ed.), *Wege der Märchenforschung*, Darmstadt 1973, S. 164.

186 Prägung von Jolles, *Einfache Formen*, S. 202.

187 Vgl. dazu die treffenden Bemerkungen von ROBERT PETSCH, *Wesen und Formen der Erzählkunst*, 2. Auflage, Halle 1942, S. 52.

188 Wenn Robert Petsch, a. a. O., S. 54, behauptet, daß «aus dem Märchen herausgerissen, uns Rotkäppchens Großmutter wie Sneewittchens böse Stiefmutter völlig kalt lassen» würden, so vergißt er, daß genau dasselbe auch von Sneewittchen und Rotkäppchen selber gesagt werden müßte.

189 Daß das Märchen gerade deshalb, weil es so hohen Ansprüchen entspricht, leicht in den Schwank umschlägt, ist verständlich; vgl. S. 89.

190 André Jolles (wie Anm. 9), 1. Aufl. S. 238ff., 2. Aufl. S. 199ff.

191 Robert Petsch, Die Kunstform des Volksmärchens (*Zeitschrift f. dt. Volkskunde* 1935), S. 6; vgl. S. 30.

192 Vgl. Lessings Bestimmung des Kunstwerks im 70. Stück der Hamburgischen Dramaturgie.

193 Vgl. dazu H. DE BOOR, Märchenforschung, *Zeitschrift f. dt. Unterricht*, 42 (1928), S. 561ff.

194 Robert Petsch, *Wesen und Formen der Erzählkunst*, S. 53, 47.

195 Zu den Wesenszügen des epischen Stils vgl. EMIL STAIGER, *Grundbegriffe der Poetik*, Zürich 1946 (4. Aufl. 1959).

195a Vgl. HERMANN PONGS, Über die Bedeutung des Symbols in der Novelle (*Das Bild in der Dichtung*, Bd. II, Marburg 1939, [2]1963, S. 286).

196 Robert Petsch bezeichnet es als «Urform der hohen, der «symbolischen» Erzählung». (Die Kunstform des Volksmärchens, *Deutsche Zeitschrift f. Volkskunde* 1935, S. 29.) Nach ihm weisen die höher entwickelten Formen der Erzählkunst alle in irgendeinem Maße noch auf das Märchen und auf seine Entwicklungsstufen zurück (ebenda, S. 3). «So lange die Menschheit die Märchen kennt und schätzt, werden Dichter und Leser aus ihnen immer wieder den großen Glauben an letzte Ordnungen und Zielsetzungen überhaupt in sich aufnehmen. Jede hohe Kunstdichtung, welche irgendwie mit diesem Glauben arbeitet, zieht zuletzt ihre Lebens- und Überzeugungskraft aus dem heiligen Boden, den das Volksmärchen bereitet hat.» (Ebenda, S. 30.)

197 Vgl. dazu C. G. JUNGS Kritik an Freuds Deutung der Traumsymbole (Allgemeine Gesichtspunkte zur Psychologie des Traumes, in *Psychologische Abhandlungen*, Bd. II, Zürich 1928).

198 Vgl.dazu C. G. *Jung* in C. G. Jung/K. Kerényi, *Einführung in das Wesen der Mythologie*, S. 233f: «Durch den unbewußten Anteil ist das Selbst dermaßen vom Bewußtsein entfernt, daß es nur zum einen Teil durch menschliche Figuren ausgedrückt wird, zum andern aber durch sachliche, abstrakte Symbole. Die menschlichen Figuren sind Vater und Sohn, Mutter und Tochter, König und Königin, Gott und Göttin. Theriomorphe Symbole sind Drache, Schlange, Elefant, Löwe, Bär oder sonstwie mächtige Tiere oder im Gegenteil Spinne, Krebs, Schmetterling, Käfer, Wurm usw. Pflanzliche Symbole sind in der Regel Blumen (Lotus und Rose!). Diese leiten über zu geometrischen Gebilden wie Kreis, Kugel, Quadrat, Quaternität, Uhr, Firmament usw. Die unbestimmte Reichweite des unbewußten Anteils macht eben eine völlige Erfassung und Beschreibung der menschlichen Persönlichkeit unmöglich. Infolgedessen das Unbewußte das Bild durch lebende Figuren ergänzt, die vom Tier bis zur Gottheit, als den beiden außermenschlichen Extremen, reichen, und überdies das Animalische durch die Beifügung des Vegetabilischen und des Anorganisch-Abstrakten zu einem Mikrokosmos vervollständigt.»

199 «Das Symbol ist Antizipation einer erst werdenden Bewußtseinslage.» C. G. Jung, a. a. O., S. 128.

200 Siehe CHARLOTTE BÜHLER, *Das Märchen und die Phantasie des Kindes* (4. Auflage, München 1958), S. 10, 19–24, 71.

201 C. W. VON SYDOW, «Das Volksmärchen als indogermanische Tradition», deutscher Auszug in *Niederdeutsche Zeitschrift für Volkskunde* 4 (1926), S. 207ff.; dazu FRIEDRICH RANKE, Märchenforschung, *Deutsche Vierteljahresschrift f. L. u. G.* 14 (1936), S. 237ff.

202 W. E. PEUCKERT, *Deutsches Volkstum in Märchen und Sage, Schwank und Rätsel* (Berlin 1938).

203 OTTO RANK, *Psychoanalytische Beiträge zur Mythenforschung*, Leipzig und Wien 1919; darin speziell Aufsatz XIII, Mythus und Märchen.

204 REINHARD NOLTE, *Analyse der freien Märchenproduktion* (Langensalza 1931), S. 19.

205 Vgl. dazu übrigens auch FRITZ MORITZ HEICHELHEIM, *Wirtschaftsgeschichte des Altertums*, Leiden 1938, Bd. I, S. 46, 67.

206 Peuckert, S. 14f., 25; vgl. oben Anm. 18.

207 Hermann BAUSINGER, *Lebendiges Erzählen*, Diss. Tübingen 1952 (Maschinenschrift), S. 105.

208 OTTO HUTH, Wesen und Herkunft des Märchens, *Universitas* 4 (Stuttgart 1949) S. 651–654; derselbe, *Paideuma* 5 (Bamberg 1950) S. 12–22.

209 JAN DE VRIES, *Betrachtungen zum Märchen*, Helsinki 1954 (FFC 150) S. 171–179. Vgl. unten S. 104 f.

210 Wie sie z. B. HANS VORDEMFELDE für die abgeblaßte Form des Numinosen geben zu müssen glaubt: sie rühre daher, daß unsere Märchen zu Kindermärchen geworden seien («Die Hexe im deutschen Volksmärchen», *Festschrift Eugen Mogk*, 1924).

211 PEUCKERT, dessen scharfsinnige Beobachtungen und Schlüsse kultur- und geistesgeschichtlich außerordentlich aufschlußreich sind, neigt dazu, die charakteristischen Merkmale der verschiedenen Erzählungsformen allzu einseitig auf verschiedene Entstehungszeit zurückzuführen (a. a. O., S. 15–18); seine volkskundliche Betrachtungsweise muß durch die stilkritische ergänzt werden.

212 Wie es L. F. WEBER (*Märchen und Schwank*, Diss. Kiel 1904, S. 64f.) und W. BERENDSOHN (*Grundformen*, S. 38), gestützt auch auf gewisse inhaltliche Kriterien, wahrhaben wollen. Dagegen Mackensen, S. 316.

213 Nur in diesem Sinne darf man das Märchen mit LUTZ MACKENSEN (*Der singende Knochen*, Helsinki 1923, S. 2f.) als «Roman der Primitiven» bezeichnen. Vgl. das Urteil C. W. von SYDOWS: «Der logische, wohl erwogene Aufbau des Märchens ist nicht sonderlich primitiv und deutet auf eine Kultur, die wesentlich höher steht als die der Buschmänner und Australneger. Aber sein Vorstellungskreis ist primitiv und spiegelt eine längst verlassene Kulturstufe wider.» (Das Märchen als indogermanische Tradition, Auszug in *Niederdeutsche Zeitschrift f. Volkskunde* 4 (1926), S. 214.) Über die Stellung des Märchenerzählers im Volke sagt FRIEDRICH RANKE: «Sage ist ... echtestes Gemeinschaftsgewächs; Märchen scheint in viel stärkerem Grade den einzelnen Erzähler von seiner Hörerschaft abzusetzen.» (Aufgaben volkskundlicher Märchenforschung in *Zeitschrift für Volkskunde* N. F. 4, 1933, S. 208.) Vgl. Angelika Merkelbach-Pinck, *Lothringer erzählen* (1936), Bd. I, S. 38f.: «Die Märchenerzähler sind im Dorfe bekannt wie die Sänger. Sie sind sich auch ihrer Sonderstellung bewußt.» «Die Erzähler betonen ausdrücklich, daß sie ihre Geschichten gehört haben», von Großvater, Großmutter, Onkel, einem ganz alten Mann, «früher, in den Spinn- oder Flechtstubb».

214 Vgl. Friedrich Ranke, Märchen, in Adolf Spamer, *Die deutsche Volkskunde* (Leipzig 1934), S. 258; anders Albert Wesselski (*Versuch einer Theorie des Märchens*, S. 35f.), der Friedrich von der Leyens Traumtheorie (*Das Märchen*, S. 51ff.) mit ungenügenden Argumenten und in kaum verständlicher Schärfe kritisiert.

215 «Der Traum ist im allgemeinen affektärmer als das psychische Material, aus dessen Bearbeitung er hervorgegangen ist.» SIGMUND FREUD, *Traumdeutung* (5. Auflage, Wien 1919), S. 317.

216 Freud spricht von «Mangel an Phantasie in fast allen Träumen» (a. a. O., S. 93 A).

217 Freud nennt die Tagträume «Träume ohne Traumentstellung» (a. a. O., S. 365); vgl. auch OTTO RANK, *Psychoanalytische Beiträge zur Mythen-*

forschung, S. 2, 4, 13f.; FRIEDRICH RANKE, in Spamer, *Deutsche Volkskunde*, S. 249. Zur Entstehung des Märchens überhaupt sagt Friedrich Ranke: «Die eine Zeitlang herrschende Vorstellung, die einzelnen Märchen hätten sich in naturhaft unbewußtem Wachstum und aus wahllos aneinandergereihten Motiven gewissermaßen selber gebildet, läßt sich angesichts ihrer zum Teil ausgezeichneten und kunstvollen Komposition nicht halten. Am Ursprung jedes einzelnen Märchens muß ein erster Erzähler stehn, ein «Künstler», der es als Erzählungskunstwerk «gedichtet» hat. Das Material, mit dem ein solcher Erzähler arbeitete, kann verschiedenster Art und Herkunft gewesen sein.» (a. a. O., S. 257f.)

218 Gegen die Auffassung, daß das Märchen als Ersatzphantasie des gedrückten Volkes entstanden sei («Armeleutedichtung»), siehe oben S. 80 f., 84, dazu *Gabe*, S. 142f. Wesselski will das Volk sogar als Märchenpfleger nicht gelten lassen. Doch sind seine Argumente (Schulkinder-Experiment) nicht eben überzeugend.

219 Vermutungen über Vorformen des Märchens bei ROBERT PETSCH, Die Kunstform des Märchens (*Zeitschrift für deutsche Volkskunde* 1935, S. 1ff.), und W. E. Peuckert, a. a. O.

220 So etwa Lutz Mackensen in Peßlers Handbuch.

221 Die Aufzeigung des verschiedenen Stilcharakters von Märchen und Sage war Ziel meiner Arbeit über das Motiv der Gabe in den beiden Formen. Daß Volksballaden, Volksmärchen und Volksrätsel je ihre charakteristischen Stiltendenzen haben, die sich nicht durch übertragungstechnische oder metrische Notwendigkeiten erklären lassen, stellt ARCHER TAYLOR in seinen *Proverbial Comparisons and Similes from California* (Berkeley and Los Angeles 1954) fest. Bis in kleinste Formeln hinein gehen die verschiedenen Gattungen ihre eigenen Wege. *As white as milk*, which is ... almost never found in tales, is the most popular of all color similes in ballads. In riddles, *As black as a raven* almost never occurs, and *As black as pitch*, which Whiting found only once in more than two thousand ballads, is very popular ... Ballad singers and riddlers use freely *As green as grass*, which could not be easily introduced into a tale (S. 7; zu den Farben des Märchens vgl. oben S. 28 f.).

222 Die nationale Eigenart des deutschen, russischen, französischen Volksmärchens ist in zwei Spezialarbeiten vergleichend untersucht worden: A. VON LÖWIS OF MENAR, *Der Held im deutschen und im russischen Märchen*, Jena 1912. ELISABETH KOECHLIN, *Wesenszüge des deutschen und des französischen Volksmärchens. Eine vergleichende Studie zum Märchentypus von «Amor und Psyche» und vom «Tierbräutigam»*. Basel 1945.

223 Die auch hier noch nicht märchengemäßen Stellen wurden von mir eingeklammert. Sie werden immer seltener, der echte Märchenstil setzt sich wie von selber wieder durch. (*Lettisch-litauische Volksmärchen*, M. d. W., S. 215).

224 *Nordische Volksmärchen* (M. d. W.) II Nr. 24.

225 *Balkanmärchen* Nr. 23, 27 (vgl. Nr. 28).

226 Z. B. von WILHELM SCHOOF, *Zur Entstehungsgeschichte der Grimmschen Märchen* (Hamburg 1959) S. 175. Zur Stilisierung ihrer Vorlagen und Unterlagen durch die Brüder Grimm vgl. ferner HERMANN HAMANN,

Die literarischen Vorlagen der KHM und ihre Bearbeitung durch die Brüder Grimm, Berlin 1906. ERNEST TONNELAT, *Les contes des frères Grimm, Etude sur la composition et le style*, Paris 1912. ELISABETH FREITAG, *Die KHM der Brüder Grimm im ersten Stadium ihrer stilgeschichtlichen Entwicklung*. Frankfurt a. M. 1929. KARL SCHULTE-KEMMINGHAUSEN, *Die niederdeutschen Märchen der Brüder Grimm*, Münster 1929. KURT SCHMIDT, Die Entwicklung der Grimmschen KHM seit der Urhandschrift, Halle 1932. FRIEDRICH PANZER, *Die KHM* der *Brüder Grimm. In ihrer Urgestalt herausgegeben*, München 1913, Hamburg 1948, Wiesbaden o. J. (Einleitung). ROLF HAGEN, *Der Einfluß der Perraultschen Contes auf das volkstümliche deutsche Erzählgut und besonders auf die KHM der Brüder Grimm*, Diss. Göttingen 1954 (Maschinenschrift). Derselbe, Perraults Märchen und die Brüder Grimm, in: *Zeitschrift für deutsche Philologie* 74 (Berlin 1955) S. 392–410.

227 Siehe dazu M. LÜTHI, *Rapunzel*, Zürich (Schweiz. Lehrerverein) 1958. Derselbe, Die Herkunft des Grimmschen Rapunzelmärchens, *Fabula* 3 (Berlin 1959) S. 95–118. Vgl. unten S. 101 f.

228 THOMAS MANN, *Der junge Joseph* (Berlin 1934), S. 314, 316.

229 HERMANN HESSE, *Das Glasperlenspiel* (Zürich 1943), Bd. I, S. 55.

230 MELCHIOR SOODER, *Zelleni us em Haslital*, Basel 1943. Dazu L. Röhrich in: *Deutsches Jahrbuch für Volkskunde* I S. 292 (vgl. Anm. 258).

231 P. I. MILLIOPOULOS in einem für den Kongreß der Volkserzählforscher Kiel/Kopenhagen 1959 geschriebenen Vortrag über «Die Bedeutung der Volksdichtung und die Art des Sammelns von Märchen» (unpubliziert).

232 Vgl. JÜRGEN BIERINGER-EYSSEN, *Das romantische Kunstmärchen in seinem Verhältnis zum Volksmärchen*. Diss. Tübingen 1953 (Maschinenschrift).

233 Vgl. Anm. 21. Das Märchen vom Erdkühlein erscheint um 1560, die Sammlung GIAMBATTISTA BASILES 1634/36, jene von CHARLES PERRAULT 1696/97. Zum «Erdkühlein» s. Anm. 21 sowie LÜTHI, *Es war einmal ... Vom Wesen des Volksmärchens*, Göttingen 1962 ([5]1977), S. 42–53; ders., *Der Aschenputtelzyklus*, in JANNING/GEHRTS/OSSOWSKI (ed.), *Vom Menschenbild im Märchen*, Kassel 1980, S. 39–58.

234 Vgl. die treffenden Bemerkungen VERENA BÄNNINGERS in ihrer Dissertation über Goethes *Natürliche Tochter* (Zürich 1957, S. 108f.). Bänninger weist im Stil des Goetheschen Dramas Züge nach, die denen des Volksmärchens nahe verwandt sind (Abstraktion, Verflüchtigung, Isolation, flächenhafte Darstellung, Verdinglichung, Veräußerlichung u. a.), ohne indessen diese Ähnlichkeit zu bemerken. S. dazu M. LÜTHI, Volkskunde und Literaturwissenschaft, in: *Rheinisches Jahrbuch für Volkskunde* IX (Bonn 1958) S. 270f.

235 *KHM* 21. GOTTFRIED HENSSEN, *Überlieferung und Persönlichkeit. Die Erzählungen und Lieder des Egbert Gerrits*. Nach dem Ausweis der Verse und anderer Einzelheiten scheint Gerrits, wie es zu erwarten ist, von den späteren Auflagen des Grimmschen Märchenbuchs abzuhängen. Wenn man dies annehmen dürfte, dann hätte sich auch an einer anderen Stelle die Art des echten Märchens gegen Grimm durchgesetzt: Bei Grimm schüttet die Stiefmutter nur vor dem ersten Ausgang zuerst eine, dann zwei Schüsseln Linsen in die Asche. Bei Gerrits erscheint die märchenhafte Dreizahl und die klare Gestaltvariation: Erbsen vor dem ersten,

Bohnen vor dem zweiten, Linsen vor dem dritten Ausgang – sogar das Achtergewicht ist da, die kleinen Linsen sind am schwersten aus der Asche zu lesen. In einer ziemlich dürftigen schwäbischen Fassung aus Ungarn (GYÖRGYPAL-ECKERT S. 80, vgl. Anm. 236) fehlt der entsprechende Zug ganz. In einer anderen deutschen Fassung aus Ungarn sind es zuerst Fisoln (Bohnen), dann Waz (Weizen), zuletzt Trad (Getreide), in einer dritten zuerst Weizen, dann Bohnen, zuletzt Hanfsamen (ELLI ZENKER-STARZACHER, *Eine deutsche Märchenerzählerin aus Ungarn*, München 1941 S. 50–54; ich habe die selten gewordene Schrift durch die Freundlichkeit von Herrn Dr. Karl Haiding, Stainach, dem ich auch sonst für Auskunft und Hilfe zu Dank verpflichtet bin, erhalten. Die letztgenannte Variante hat mir Frau Dr. Zenker, Wien, liebenswürdigerweise im Manuskript zur Verfügung gestellt). Doch scheinen diese drei Varianten aus Ungarn nicht eindeutig von Grimm abzuhängen; an die Stelle des Balls ist der Kirchgang getreten. Immerhin ist die strenge Durchführung der drei Etappen in den Erzählungen bei Henßen und bei Zenker ein Zeichen, daß wir in der echten Volkserzählung auch das, was wir als echten Märchenstil bezeichnet haben, eher finden als bei Grimm (der doch in der ersten Auflage auch noch Linsen – Wicken – Erbsen hat). Hübsch ist, daß bei Györgypál-Eckert Aschenputtel die schönen Schuhe und das rotseidene Kleid in einer Nußschale überreicht werden, bei Zenker die drei Kleider je in einer Schachtel (von einem Vogel!). So setzt sich die Neigung zur Prägnanz, zu linienscharfer Umgrenzung, zur geometrischen Anschauungsform in der Volkserzählung durch, gleichzeitig die mühelose Verbindung von Disparatem: ein Vogel spendet eine Kleiderschachtel. Wenn man immer wieder von der Neigung vieler Märchenerzähler zu liebevollem und umständlichem «Ausmalen» spricht, so handelt es sich da im allgemeinen keineswegs um Beschreibungen von Landschaften, Häusern, Städten u. ä., sondern um ein Ausgliedern der Handlung oder um ein Einfügen kleiner Handlungszüge. Schön zu beobachten ist das z. B. bei KARL HAIDING, Burgenländische Spielformen zur Heimkehr des Helden in erbärmlichem Aufzuge in: Festschrift für G. Henßen, *Rheinisches Jahrbuch für Volkskunde* 10 (1960) S. 51–78. Zur ganzen Frage vgl. FRIEDRICH RANKE, Kunstmärchen im Volksmund, in: *Zeitschrift für Volkskunde* N. F. 8 (Berlin 1938) S. 123–133, ferner KURT RANKE, Der Einfluß der Grimmschen Kinder- und Hausmärchen auf das volkstümliche deutsche Erzählgut, in: *Papers of the International Congress of European and Western Ethnology*, Stockholm 1956 S. 126–133, sowie K. Rankes Bemerkung in *Fabula* 3 (Berlin 1959) S. 188.

236 Für die Mitteilung der Danziger Fassung (Zentralarchiv der deutschen Volkserzählung, Marburg, Nr. 130 322) sage ich Prof. Dr. Gottfried Henßen und Dr. J. Schwebe, beide in Marburg, Dank. Die deutschungarische Variante bei Irma Györgypál-Eckert, Die deutsche Volkserzählung in Hajós, Diss. Berlin 1941, S. 75. Vgl. oben S. 95.

237 Zur Geschichte des Rapunzelmärchens vgl. die in Anm. 116 und 227 genannten Veröffentlichungen sowie meine diesen Märchentyp (ATh 310) abschließend beleuchtende Unters. in dem Aufsatzbd. *Volksmärchen u. Volkssage, Zwei Grundformen erzählender Dichtung*, Bern u. München 1961, [3]1975, S. 62–96, 187–190.

238 S. Walter Anderson, *Kaiser und Abt*, Helsinki 1923 (FFC 42) S. 399ff. Derselbe, *Ein volkskundliches Experiment*, Helsinki 1951 (FFC 141), Derselbe, *Eine neue Arbeit zur experimentellen Volkskunde*, Helsinki 1956 (FFC 168). Dazu Kurt Schier, *Praktische Untersuchung zur mündlichen Wiedergabe von Volkserzählungen*, Diss. München 1955 (vervielfältigt).

239 Erich Seemann in: *Deutsche Philologie im Aufriß*, Berlin 1952, und in: *Actes du congrès international d'ethnologie régionale* 1955, Arnhem 1956. Vgl. M. Lüthi, Das Volksmärchen als Dichtung und als Aussage, in: *Der Deutschunterricht*, Stuttgart 1956, Heft 6 S. 5–17 = Karlinger (wie Anm. 185) S. 295–310.

240 Vgl. M. Lüthi, Zum Stil des Volksmärchens, *Neue Zürcher Zeitung* vom 20. März 1960 (Nr. 929).

241 Friedrich von der Leyen, Mythus und Märchen, in: *Deutsche Vierteljahrsschrift für Lit.wissensch. und Geistesgeschichte* 33 (1959) S. 358.

242 Obenauer, *Das Märchen* (s. Anm. 69) S. 51.

243 Jan de Vries, *Betrachtungen zum Märchen, besonders in seinem Verhältnis zu Heldensage und Mythos*, Helsinki 1954 (FFC 150) bes. S. 171–179. Ders., Les Contes populaires, in: *Diogène* 22 (Paris 1958) S. 3–20. Ders., Märchen, Mythos und Mythenmärchen, in: *Internationaler Kongreß der Volkserzählungsforscher in Kiel ...*, Berlin 1961.

244 Leo Frobenius, *Kulturgeschichte Afrikas*, Zürich 1933, S. 307; Karl Meuli, Scythica, in: *Hermes* 70 (1935) S. 121–176. Vgl. dazu M. Lüthi, *Rhein. Jahrbuch f. Volkskunde* IX (s. Anm. 234) S. 266f.

245 Mircea Eliade, Les savants et les contes de fées, in *Nouvelle Revue Française* 4 (Paris 1956) S. 884–891, deutsch bei Karlinger (wie Anm. 185) S. 311–319. F. v. d. Leyen, a. a. O. (s. Anm. 241). Luise Resatz, Das Märchen als Ausdruck elementarer Wirklichkeit, in: *Die Freundesgabe*, Münster 1959, II S. 35–41.

246 S. dazu Richard Weiss, *Volkskunde der Schweiz* (Erlenbach-Zürich 1946, [2]1978), z. B. S. 10.

247 Vgl. oben S. 87 ff.

248 Hedwig von Beit, *Symbolik des Märchens. Versuch einer Deutung*. 3 Bde., Bern 1952, 1956, 1957. Dazu meine eingehende Besprechung in Fabula 2 (Berlin 1958) S. 182–189. Das mehr als 1700 Seiten enthaltende Werk fußt auf der Psychologie C. G. Jungs. Jungs eigene Abhandlungen zum Märchen findet man in dem Sammelband *Symbolik des Geistes* (Zürich 1948). Einen kurzen «Überblick über tiefenpsychologische Aspekte von Märchenmotiven» gibt Gabriele Leber in: *Praxis der Kinderpsychologie* 4 (Göttingen 1955) S. 274–285.–Wilhelm Laiblin (ed.), *Märchenforschung und Tiefenpsychologie*, Darmstadt 1969 (30 Aufsätze).

249 Kurt Ranke, *Schleswig-Holsteinische Volksmärchen*, 3 Bde., Kiel 1955 (ATh 300–402), 1958 (403–665), 1962 (670–960). Das Werk enthält von vielen Märchen eine erstaunlich große Zahl von Versionen; nicht selten werden verschiedene Fassungen des gleichen Erzählers mitgeteilt.

250 Richard Wossidlo und Gottfried Henssen, *Mecklenburger erzählen. Märchen, Schwänke und Schnurren*. Berlin 1957.

251 *Von Prinzen, Trollen und Herrn Fro. Märchen der europäischen Völker*, Schloß Bentlage 1956ff. – Neue Serie Münster 1961ff. (ohne den Obertitel).

252 WALDEMAR LIUNGMAN, *Sveriges Samtliga Folksagor i ord och bild.* 3 Bde. Djursholm/Stockholm 1949–1952. Der dritte Band (deutsch Berlin 1961) bringt den wissenschaftlichen Kommentar; er enthält namentlich Variantenverzeichnisse und bietet ein beinahe umfassendes Gesamtregister der schwedischen Märchenaufzeichnungen.

253 PAUL DELARUE und MARIE-LOUISE TENÈZE: *Le conte populaire français. Catalogue raisonné des versions de France et des pays de langue française d'outre-mer*, 3 Bde., Paris 1957 (zu ATh 300–366), 1964 (zu ATh 400–736A), 1976 (zu ATH 1–295: Tiermärchen). Die einzelnen Bände der Textserien haben je einen besonderen Herausgeber.

254 KARL HAIDING, *Österreichs Märchenschatz. Ein Hausbuch für Jung und Alt*, Wien 1953. (Das Buch enthält auch einzelne mundartliche Stücke). – ITALO CALVINO, *Fiabe italiane.* Torino 1956 (als Taschenbuch 1971, 2 Bde.). – Natürlich sind auch in andern Ländern West- und Osteuropas repräsentative Ausgaben erschienen, daneben wichtige regionale Sammlungen. Wie überall konnten hier nur Beispiele genannt werden. Erwähnt seien noch die zweite Auflage von G. A. MEGAS' *Hellenika Paramythia* (neugriechische Märchen, Tiergeschichten, Schwänke), Athen 1956 (denen der englische Folklorist R. M. DAWKINS *Modern Greek Folktales* und *More Greek Folktales* an die Seite stellte, Oxford 1953 und 1955) und die ins Deutsche übersetzten *Ungarischen Volksmärchen* von GYULA ORTUTAY (Berlin 1957).

255 Thompson fügt noch ‹Formula tales› (z. B. Kettenmärchen, Rundmärchen, endlose Märchen) und ‹Unclassified tales› hinzu. Siehe ANTTI AARNE, *Verzeichnis der Märchentypen*, Helsinki 1910 (FFC 3) und ANTTI AARNE und STITH THOMPSON, *The Types of the Folktale*, Helsinki 1928 (FFC 74), Second Revision (erweitert) 1961 (FFC 184). Zu den Formelmärchen vgl. den wichtigen Artikel von ARCHER TAYLOR in Mackensens *Handwörterbuch des deutschen Märchens* Bd. II S. 165–191.

256 STITH THOMPSON, *Motif-Index of Folk-Literature. A classification of narrative elements in folktales, ballads, myths, fables, mediaeval romances, exempla, fabliaux, jest-books, and local legends.* 6 Bde, Kopenhagen 1955–1958.

257 Peuckerts Forschungsberichte stehen in: WILL-ERICH PEUCKERT und OTTO LAUFFER, *Volkskunde. Quellen und Forschungen seit* 1930, Bern 1951 (Wissenschaftliche Forschungsberichte, geisteswissenschaftliche Reihe Bd. 14) S. 123–176, und in: Wolfgang Stammler, *Deutsche Philologie im Aufriß*, Bd. III, Berlin 1957 Sp. 1771–1814, im Rahmen von Peuckerts großem Artikel über das Märchen.

258 LUTZ RÖHRICH, Die Märchenforschung seit dem Jahre 1945, in: *Deutsches Jahrbuch für Volkskunde* Bd. I (Berlin 1955) S. 279–296, Bd. II (1956) S. 274–319, Bd. III (1957) S. 213–224 und 494–514. Derselbe, Neue Wege der Märchenforschung, in: *Das Märchen im Unterricht*, Stuttgart 1956 (Jg. 8, Heft 6 von Der Deutschunterricht) S. 92–116.

259 KURT RANKE, Betrachtungen zum Wesen und zur Funktion des Märchens, in: *Studium Generale*, 11 (Berlin 1958) S. 647–664. Das gleiche Heft (11) enthält ähnlich grundsätzliche Abhandlungen zur Volkssage (von Lutz Röhrich), zur Legende (von S. Sudhof), zu Schwank und Witz (von H. Bausinger). Eine Art kleinen Forschungsberichts am

Beispiel eines einzelnen Märchens bringt HERMANN BAUSINGER in der *Zeitschrift für Volkskunde* 52 (Stuttgart 1955) S. 144–155: Aschenputtel. Zum Problem der Märchensymbolik (auch bei Laiblin, wie Anm. 248, S. 284–299). F. v. D. LEYENS und K. SCHIERS *Märchen* (s. Anm. 143) unternimmt Ähnliches am Beispiel Dornröschens. Das Buch von J. Ö. SWAHN (s. Anm. 263) enthält ein 50seitiges Quellen- und Literaturverzeichnis. FELIX KARLINGER präsentiert in *Wege der Märchenforschung* (Darmstadt 1973) 24 Aufsätze zwischen 1903 und 1970.

260 LUTZ RÖHRICH, *Märchen und Wirklichkeit*. Eine volkskundliche Untersuchung. Wiesbaden 1956.

261 Vgl. unsere Definition des Märchens oben S. 77, ferner Anm. 221 und 170.

262 Siehe die Darstellung der geographisch-historischen («finnischen») Methode durch WALTER ANDERSON in Mackensens *Handwörterbuch des deutschen Märchens* Bd. II S. 508–522 sowie die Bemerkungen J. Ö. Swahns in seiner in Anm. 263 zitierten Schrift S. 415–418.

263 ANNA BIRGITTA ROOTH, *The Cinderella Cycle*, Lund 1951. – JAN ÖJVIND SWAHN, *The Tale of Cupid and Psyche*, Lund 1955 (dazu die Besprechungen von W. Anderson in: *Hessische Blätter für Volkskunde* 46, Gießen 1955, S. 118–130, mit Replik und Duplik in Bd. 47, Gießen 1956, S. 111–118, und von Kurt Ranke in: *Arv* 12, Uppsala/Kopenhagen 1956, S. 158–167). – WARREN E. ROBERTS, *The Tale of the Kind and the Unkind Girls*, Berlin 1958 (Bd. 1 der Fabula-Supplementserie B.).

264 KURT RANKE, *Die Zwei Brüder. Eine Studie zur vergleichenden Märchenforschung*. Helsinki 1934 (FFC 114). Ausführliches Referat darüber in Stith Thompson, The Folktale, New York 1951 (2. Auflage) S. 24–32.

265 VLADIMIR JAKOVLEVIČ PROPP, Morfologija skazki, Leningrad 1928; zweite, überarbeitete Ausgabe Moskau 1969 (mit einem Aufsatz von E. M. MELETINSKIJ). – Morphology of the Folktale, Bloomington 1958; zweite, überarbeitete Ausgabe, Austin & London 1968 u. ö. – Morfologia della fiaba, Torino 1966 (mit einem Aufsatz von CLAUDE LÉVI-STRAUSS: La struttura e la forma, und einer Erwiderung von Propp: Struttura e storia nello studio della favola). – Morphologie du conte, Paris 1970, 2 Übersetzungen: Ed. Gallimard nach der ersten, Ed. du Seuil nach der zweiten russischen Ausgabe. – Morfologia del cuento, Madrid 1971. – Morphologie des Märchens, München 1972 (1975 auch als Suhrkamp-Taschenbuch, beide nach der zweiten russischen Ausgabe). Hier wie in der zweiten französischen Übersetzung auch der Aufsatz von Meletinskij: Zur strukturell-typologischen Erforschung des Volksmärchens, sowie ein russisch schon 1928 publizierter Aufsatz von Propp: Transformationen von Zaubermärchen. Alle Zitate nach der deutschen Ausgabe von 1972 (Wortlaut z. T. von mir korrigiert oder präzisiert, vgl. meine Besprechungen in der Zeitschrift für Volkskunde 69, 1973, S. 291–293, und in der Neuen Zürcher Zeitung vom 21. 10. 1973, Nr. 488, S. 50). Die Taschenbuch-Ausgabe bringt neben einem revidierten Text zusätzlich die in der italienischen Ausgabe enthaltene Auseinandersetzung Lévi-Strauss/Propp (s. oben) in deutscher Übersetzung.

266 J. L. FISCHER in *Current Anthropology* 4, 1963, p. 289; vgl. B. N. COLBY, ebenda p. 275, und CLAUDE BREMOND, in *Communications* 4, 1964, p. 15.

267 Morfologia della fiaba, p. 219.

268 Morphologie des Märchens, S. 25.

269 Ebenda, S. 167 (Transformationen von Zaubermärchen).
270 Ebenda, S. 163.
271 V. J. Propp, Die geschichtlichen Wurzeln der Zaubermärchen, russisch Leningrad 1946 (Istoricheskie korni volshebnoi skazki), italienisch Turin 1949 und 1972 (Le radici storiche dei racconti di fate).
272 Morphologie des Märchens, S. 166.
273 Ebenda, S. 170.
274 Ebenda, S. 43.
275 Ebenda, S. 51.
276 Ebenda, S. 28f., 89, 105, 113, 163 (vgl. 193, Meletinskij).
277 Ebenda, S. 170 (vgl. p. 192 der zweiten französischen Übersetzung).
278 Ebenda, S. 26f. (S. 27: «Unter Funktion verstehen wir die Aktion einer Person, betrachtet im Hinblick auf ihre Bedeutung für den Gang der Handlung.»)
279 Alan Dundes, From etic to emic units in structural study of folktales, in *Journal of American Folklore* 75, 1962, p. 101.
280 z. B. Heda Jason, The narrative structure of Swindler Tales, in *ARV* 27, 1971, p. 143: The following terms are proposed: *function-slot* for Propp's concept of «function» (Dundes' «motifeme»); *function-filler* for the concrete action in a specific text (Dundes' «allomotif»).
281 Morphologie des Märchens, S. 181 (Meletinskij).
282 Morfologia della fiaba, p. 222: leggi formali (della compositione) cosi ferree . . .
283 Ebenda, p. 206.
284 Morphologie des Märchens, S. 99.
285 Ebenda, S. 195 (Meletinskij über A. J. Greimas, Sémantique structurale, Paris 1966).
286 Ebenda, S. 91.
287 Marie-Louise Tenèze, Du conte merveilleux comme genre, in *Approches de nos traditions orales*, Paris 1970, p. 16, 22; Dundes 1962 (wie Anm. 279), p. 103.
288 Goethe, Wilhelm Meisters Lehrjahre, zweitletzter Satz (vgl. dazu Robert Petsch, Wesen und Formen der Erzählkunst, 2. Aufl. Halle/Saale 1942, S. 67).
289 Paul Helwig, Dramaturgie des menschlichen Lebens, Stuttgart 1958, S. 52.
290 Morphologie des Märchens, S. 99 (vgl. S. 90: «Das Zaubermärchen (stellt) in seinen morphologischen Grundelementen einen Mythus dar». S. 98: «Bestimmte Legenden, vereinzelte Tiermärchen und Novellen zeigen . . . dieselbe Struktur.»)
291 Morphologie des Märchens, S. 206 (Taschenbuch S. 268)
292 Ebenda, S. 201 (Taschenbuch S. 263); vgl. a. Meletinsky (= Meletinskij), The structural-typological study of folklore, in *Social Sciences* 3, Moskau 1971, p. 76/77; derselbe, Problème de la morphologie historique du conte populaire, in *Semiotica* II, 1970, p. 131–132.
293 Meletinsky, The structural-typological study (s. Anm. 292), p. 77.
294 vgl. dazu Lüthi, Die Gabe im Märchen und in der Sage, Diss. Bern 1943, S. 112f.
295 s. Claude Bremond, Le message narratif, in *Communications* 4 (1964), p. 11-19.

296 Morphologie des Märchens, S. 10 (vgl. Meletinskij S. 181, wo statt «folgen» «vorausgehen» stehen sollte, und S. 186: «Nach Propps Auffassung soll die Synchronie der Diachronie vorausgehen.»); Morfologia della fiaba, p. 210.

297 s. WALTER ANDERSON, Geographisch-historische Methode, in *Handwörterbuch des deutschen Märchens* (hsg. von Lutz Mackensen), Bd. II, Berlin 1934/1940, S. 509.

298 ALAN DUNDES in der Einleitung zur Second Edition der Morphology of the folktale (1968), REINHARD BREYMAYER in seinem Aufsatz Vladimir Jakovlevič Propp (1895–1970) – Leben, Wirken und Bedeutsamkeit, in *Linguistica Biblica* 15/16, April 1972, S. 36–77.

299 s. die Literaturangaben bei LÜTHI, Märchen, 7. Aufl. Stuttgart 1979, und bei Breymayer (wie Anm. 298), S. 72–77. Zu konsultieren sind außerdem ARCHER TAYLOR, The biographical pattern in traditional narrative, in *Journal* of *the Folklore Institute* I, 1964, p. 114–129, VILMOS VOIGT, Some Problems of narrative structure universals in folklore, in *Linguistica Biblica* 15/16, April 1972, S. 78–90, ISIDOR LEVIN, Vladimir Propp: An evaluation on his seventieth birthday, in *Journal of the Folklore Institute* IV, 1967, p. 32–49 (mit einem Hinweis auf die «ubiquity of similar scientific ideas under diverse social and political conditions»; «Propp's train of thought here sounds like a Marxist version of Helmut de Boor's hypotheses», p. 44 – s. DE BOORS Aufsatz «Märchenforschung», in *Zeitschrift für Deutschkunde* 42, 1928, S. 561–581, jetzt auch in: Wege der Märchenforschung, wie Anm. 259, S. 129–154). HEDA JASON, Übersetzung und Kommentierung von A. I. NIKIFOROVS 1927 russisch erschienenem Aufsatz On the morphological study of folklore, in *Linguistica Biblica* 27/28, September 1973, S. 25–35. (Jason räumt den Konzeptionen Nikiforovs nicht nur Priorität, sondern auch Superiorität über jene Propps ein, dessen Modell nur taxonomischer Art sei, während Nikiforov ein generatives Modell darbiete und zudem zwischen verschiedenen Arten von «Funktionen» und Rollen unterscheide, wogegen bei Propp alle «Funktionen» auf derselben Linie stehen), und A Model for Narrative Structure in Oral Literature, in H. JASON/F. SEGAL, *Patterns in Oral Literature*, The Hague/Paris 1977, pp. 99–139, sowie die Aufsätze von ALAN DUNDES: The binary structure of «unsuccessful repetition» in Lithuanian folk tales, in *Western Folklore* XXI, 1962, p. 165–174, Structural typology in North American Indian Folktales, in *Southwestern Journal of Anthropology* 19, 1963, p. 121–130, Toward a structural definition of the riddle, in *Journal of American Folklore* 76, 1963, p. 111–118 (mit Robert A. Georges), On game morphology: A study of the structure of nonverbal folklore, in *New York Folklore Quarterly* 20 1964, p. 276–288; vgl. a. oben Anm. 279.

In den Zusammenhang der in diesem Buch besprochenen Stilfragen fügen sich neben den in der Vorbemerkung genannten Werken auch meine in der *Enzyklopädie des Märchens* (ed. KURT RANKE et alii, Berlin 1977 ff.) enthaltenen Artikel Abstraktheit, Affekte, Allverbundenheit, Altern, Blindes Motiv, Dekorative Züge, Detail, Dialog, Distanz, Drei, Dreigliedrigkeit, Dynamik, Eindimensionalität, Einsträngigkeit; vorgesehen sind außerdem Extreme, Flächenhaftigkeit, Isolation, Stil, Stumpfes Motiv, Sublimation.

SACHREGISTER